"Nesta empolgante investigação, Wohlleben transforma definitivamente nossa visão sobre as árvores." — LIBRARY JOURNAL

"Um livro que fará você enxergar as florestas como lugares mágicos." — TIM FLANNERY, professor, paleontólogo, ambientalista e ativista ganhador do prêmio Australiano do Ano por seu empenho na preservação da natureza

"Com descrições vivas e encantadoras, Peter Wohlleben nos explica fenômenos desconhecidos que acontecem nas florestas ao nosso redor." — DR. RICHARD KARBAN, professor da Universidade da Califórnia e autor de livros sobre ecologia

"Depois de ler *A vida secreta das árvores* você nunca mais olhará para uma árvore da mesma maneira. Peter Wohlleben nos revela características e comportamentos incríveis destes seres gigantescos. Leia o livro, saia de casa e abrace uma árvore para demonstrar sua admiração e gratidão."
— DAVID SUZUKI, ambientalista autor de livros sobre ecologia

"Este livro fascinante vai intrigar leitores que adoram uma caminhada pela floresta." — PUBLISHERS WEEKLY

"Uma crônica que quebrará paradigmas e fará o leitor perceber como faz parte da antiga mas sempre nova teia do ser."
— CHARLES FOSTER, autor de *Being a Beast: Adventures Across the Species Divide*

"Um poderoso lembrete de que devemos desacelerar e nos sintonizar com a linguagem da natureza."
— RACHEL SUSSMAN, autora de *The Oldest Living Things in the World*

PETER WOHLLEBEN

A vida secreta das
ÁRVORES

Título original: *Das geheime Leben der Bäume*
Copyright © 2015 por Ludwig Verlag
Um grupo da Verlagsgruppe Random House GmbH, Munique, Alemanha
www.randomhouse.de
Este livro foi negociado através da Ute Körner Literary Agency,
S.L.U., Barcelona — www.uklitag.com
Copyright da tradução © 2017 por GMT Editores Ltda.

Todos os direitos reservados. Nenhuma parte deste livro
pode ser utilizada ou reproduzida sob quaisquer meios
existentes sem autorização por escrito dos editores.

tradução: Petê Rissati
preparo de originais: Ângelo Lessa
revisão: Hermínia Totti e Tereza da Rocha
diagramação: Ilustrarte Design e Produção Editorial
capa: Nayeli Jimenez
imagem de capa: Briana Garelli
adaptação de capa: Ana Paula Daudt Brandão
impressão e acabamento: Bartira Gráfica e Editora S/A

CIP-BRASIL. CATALOGAÇÃO NA PUBLICAÇÃO
SINDICATO NACIONAL DOS EDITORES DE LIVROS, RJ

W824v   Wohlleben, Peter
A vida secreta das árvores / Peter Wohlleben; tradução
de Petê Rissatti. Rio de Janeiro: Sextante, 2017.
224 p.; 14 x 21 cm.

Tradução de: Das geheime Leben der Bäume
ISBN 978-85-431-0465-2

1. Meio ambiente. 2. Preservação ambiental.
3. Árvores - Crescimento. 4. Árvores - Desenvolvimento.
I. Rissatti, Petê. II. Título.

17-39094   CDD: 577
CDU: 502.1

Todos os direitos reservados, no Brasil, por
GMT Editores Ltda.
Rua Voluntários da Pátria, 45 – Gr. 1.404 – Botafogo
22270-000 – Rio de Janeiro – RJ
Tel.: (21) 2538-4100 – Fax: (21) 2286-9244
E-mail: atendimento@sextante.com.br
www.sextante.com.br

Sumário

	Prólogo	7
1.	Amizades	9
2.	A linguagem das árvores	13
3.	Serviço social	19
4.	Reprodução	23
5.	A loteria das árvores	29
6.	Devagar e sempre	35
7.	Etiqueta da floresta	41
8.	Escola das árvores	45
9.	União	51
10.	O mistério do transporte de água	57
11.	Sinais da idade	61
12.	O carvalho: um bobo?	67
13.	Especialistas	71
14.	É árvore mesmo?	77
15.	No reino da escuridão	81
16.	Aspirador de CO_2	87
17.	Ar-condicionado de madeira	93
18.	Bomba-d'água	97
19.	Meu ou seu?	105
20.	Lar, doce lar	115
21.	Nave-mãe da biodiversidade	121
22.	Hibernação	125
23.	Noção de tempo	133

24.	Personalidade	137
25.	Doenças	141
26.	E fez-se a luz	147
27.	Crianças de rua	153
28.	Esgotamento	161
29.	Para o norte!	167
30.	Resistência	175
31.	Tempestade	179
32.	Imigrantes	187
33.	Ar saudável	195
34.	O verde da floresta	201
35.	Liberdade	207
36.	Mais do que uma commodity	213
	Agradecimentos	217
	Notas	219

Prólogo

Quando comecei a carreira como engenheiro florestal, eu sabia tanto sobre a vida secreta das árvores quanto um açougueiro sabe sobre os sentimentos dos animais. A silvicultura moderna é uma ciência que estuda os métodos naturais e artificiais de regeneração dos povoamentos florestais, mas na prática busca a produção de madeira, ou seja, derruba árvores para aproveitar os troncos e, em seguida, plantar novas mudas no lugar. Ao ler qualquer periódico especializado, logo se tem a impressão de que o bem-estar da floresta só interessa na medida em que é necessário para sua administração operacional otimizada. Aos poucos essa rotina distorce sua visão das árvores. Todos os dias eu avaliava centenas de abetos, faias, carvalhos e pinheiros para saber se podiam ir para a serraria e descobrir seu valor de mercado, e isso só serviu para estreitar minha percepção do assunto.

Há cerca de 20 anos, comecei a oferecer treinamento de sobrevivência e excursões na floresta. Mais tarde, também passei a cuidar das áreas de reserva e a administrar funerais naturais – prática em que as cinzas do corpo humano são enterradas em urnas biodegradáveis ao pé das árvores. Conversando com muitos visitantes, mudei minha forma de enxergar a floresta. As árvores tortas, retorcidas, que antes eu considerava de menor valor, deixavam os visitantes fascinados. Aprendi com eles a não prestar atenção só nos troncos e em sua qualidade, mas também em raízes anormais, padrões de crescimento diferentes e camadas de musgo na casca das árvores.

Meu amor pela natureza se manifestou desde que eu tinha apenas 6 anos, mas com essa mudança de perspectiva voltou a ganhar força. De repente, descobri inúmeras belezas que eu mal conseguia explicar a mim mesmo. Na mesma época, a Universidade Técnica da Renânia do Norte-Vestfália em Aachen começou a realizar pesquisas na nossa reserva que responderam a muitas perguntas e suscitaram tantas outras. Minha vida como engenheiro florestal se tornou mais e mais empolgante, e cada dia na floresta passou a ser uma viagem de descobertas.

Tudo isso me fez começar a pensar em maneiras inovadoras de realizar a gestão florestal. Quando você sabe que as árvores sentem dor, têm memória, vivem com seus familiares, não consegue simplesmente cortá-las e matá-las com máquinas grandes e furiosas. Por isso essas máquinas foram banidas da nossa reserva há duas décadas, e, quando troncos são retirados de lá, os lenhadores entram na floresta a cavalo e se locomovem com cuidado. Uma floresta mais saudável, talvez até mais feliz, é mais produtiva, e isso significa aumento de receita. Esse argumento convenceu meu empregador, o município de Hümmel, e hoje este vilarejo na região montanhosa de Eifel, no oeste da Alemanha, não considera nenhuma outra forma de gestão florestal. Com isso, as árvores respiram aliviadas e revelam mais segredos, sobretudo os grupos que vivem totalmente em paz nas áreas de proteção recém-criadas. Sempre terei o que aprender com elas, e só o que descobri até agora sob esse dossel de folhas já é muito mais do que eu teria sonhado no começo da minha jornada.

Neste livro, quero dividir com você a alegria que as árvores podem proporcionar e ajudar a fazer com que, em seu próximo passeio pela floresta, você descubra pequenas e grandes belezas.

1. Amizades

Há alguns anos, encontrei pedras estranhas cobertas de musgo em uma das antigas matas de faia da nossa reserva. Tinham um formato curioso, levemente curvado, com reentrâncias. Quando levantei um pouco da camada de musgo, descobri que, na verdade, eram cascas de árvore. Ou seja, não eram pedras, mas madeira velha. Em solo úmido a madeira de faia apodrece em poucos anos, por isso fiquei surpreso ao constatar como aqueles pedaços eram duros.

O que me espantou de verdade, porém, foi perceber que era impossível erguê-los. Pareciam presos ao solo. Com cuidado, usei um canivete para raspar um pouco da casca e revelei uma camada verde. Essa cor só aparece quando há clorofila, que existe nas folhas frescas e é armazenada nos troncos das árvores vivas. Os pedaços de madeira não estavam mortos. Logo depois notei que as outras "pedras" formavam um círculo de 1,5m de diâmetro, e uma imagem lógica surgiu na minha cabeça: eram os restos de um tronco de árvore gigantesco e ancestral.

Só havia vestígios de suas bordas externas. Toda a parte interna já havia virado húmus – um claro indício de que o tronco provavelmente foi derrubado há 400 ou 500 anos. Mas como aquelas sobras ficaram tanto tempo vivas? Afinal, suas células precisam receber nutrientes (na forma de açúcar), respirar e crescer pelo menos um pouco. Sem folhas isso é impossível, pois elas não conseguiriam realizar a fotossíntese. Nenhum ser vivo deste planeta aguenta séculos de jejum, e isso também vale para restos de árvores – ao menos para troncos abandonados à própria sorte. No entanto, estava claro que aquele exemplar provava o contrário. Através das raízes, recebia ajuda das árvores vizinhas. Pode ser apenas uma ligação remota por meio de redes de fungos que recobrem as pontas das raízes e promovem a troca de nutrientes entre os exemplares, mas também há casos em que as raízes em si estão conectadas. Eu não quis realizar escavações no local com receio de danificar o velho tronco, por isso não consegui descobrir qual era o caso, mas uma coisa era certa: as faias vizinhas mantinham o resto de tronco vivo bombeando uma solução de açúcar para o que restava da árvore.

Às vezes, vemos em barrancos como as raízes das árvores são emaranhadas. Nas encostas, a terra é levada pela água da chuva e deixa à mostra a rede subterrânea de raízes. Cientistas em Harz, uma cadeia de montanhas ao norte da Alemanha, descobriram que a maioria dos indivíduos de uma espécie e de uma população é interligada por um sistema entremeado de raízes. É normal que elas troquem nutrientes e ajudem as vizinhas em casos de emergência, e isso nos faz concluir que as florestas são superorganismos – formações semelhantes, por exemplo, a um formigueiro.

Também podemos nos perguntar se as raízes das árvores simplesmente não cresceriam de forma aleatória e se conectariam ao encontrar outras da mesma espécie. Segundo essa hipótese, a partir desse acaso não teriam outra escolha a não ser trocar nutrientes, formar uma suposta comunidade e ter uma relação na qual ocasionalmente forneceriam e receberiam nutrientes. Nesse caso, a bela imagem de que as árvores se ajudam de maneira ativa seria desfeita pelo princípio do acaso, embora mesmo esses mecanismos fortuitos ofereçam vantagens para o ecossistema da floresta. Mas a natureza não funciona de forma tão simples.[1] De acordo com Massimo Maffei, as plantas e, portanto, as árvores conhecem muito bem as diferenças entre suas raízes e as de outras espécies e até as de outros exemplares da mesma espécie.

Por que as árvores são seres tão sociais? Por que compartilham seus nutrientes com outras da mesma espécie e, com isso, ajudam suas concorrentes? Os motivos são os mesmos que movem as sociedades humanas: trabalhando juntas elas são mais fortes. Uma única árvore não forma uma floresta, não produz um microclima equilibrado; fica exposta, desprotegida contra o vento e as intempéries. Por outro lado, muitas árvores juntas criam um ecossistema que atenua o excesso de calor e de frio, armazena um grande volume de água e aumenta a umidade atmosférica – ambiente no qual as árvores conseguem viver protegidas e durar bastante tempo.

Para alcançar esse ponto, a comunidade precisa sobreviver a qualquer custo. Se todos os espécimes só cuidassem de si, grande parte morreria cedo demais. As mortes constantes criariam lacunas no dossel verde. Com isso, as tempestades penetrariam a floresta com mais facilidade e poderiam derrubar outras árvores. O calor do verão ressecaria o solo. Todos os espécimes sofreriam.

Assim, cada árvore é valiosa para a comunidade e deve ser mantida viva o máximo de tempo possível. Mesmo os espécimes doentes recebem ajuda e nutrientes até ficarem curados. E uma árvore que no passado auxiliou outra pode no futuro precisar de uma mãozinha. Quando as enormes faias se comportam dessa forma, me fazem lembrar de uma manada de elefantes. A manada também cuida de seus membros, ajuda os indivíduos doentes e fracos e reluta até em deixar os mortos para trás.

Todas as árvores fazem parte dessa comunidade, mas dentro dela existem níveis de distinção. Assim, enquanto a maioria dos tocos de árvores cortadas apodrece e vira húmus, desaparecendo em algumas décadas (para árvores, pouquíssimo tempo), somente alguns espécimes são mantidos vivos através dos séculos, como a "pedra com musgo" com a qual deparei na floresta. E por que elas se diferenciam dessa forma? As árvores se organizam em uma sociedade de classes? Parece que sim, mas a expressão "classe" não é a mais exata. Acima de tudo, a decisão de ajudar as colegas depende muito mais do nível de proximidade ou talvez até de afinidade entre os exemplares envolvidos.

É possível compreender isso olhando para a copa das árvores. Uma árvore normal estende seus galhos até alcançar a altura da ponta dos galhos de uma vizinha do mesmo tamanho. Não vai além disso porque o espaço (e o local de melhor incidência de luz) já está ocupado. Depois, fortalece os galhos que expandiu, e a impressão é de que existe uma verdadeira briga lá em cima. No entanto, desde o início um par de árvores amigas de verdade cuida para que nenhum galho grosso demais se estenda na direção da outra. Elas não desejam tirar nada uma da outra, por isso só engrossam os galhos e os esticam na direção das "não amigas". Esses pares de árvores mantêm uma ligação tão íntima pelas raízes que às vezes até morrem juntos.

Geralmente, esse tipo de amizade que proporciona alimentação até a restos de árvores só existe em florestas naturais. Talvez todas as espécies façam isso, pois, além das faias, já encontrei tocos de carvalhos, pinheiros, abetos e douglásias mantidos vivos por outros espécimes próximos. Já as florestas plantadas (como é o caso da maioria das florestas de coníferas da Europa Central) se comportam de maneira mais individualista, como veremos no Capítulo 27.

Como são plantadas, suas raízes são danificadas de forma permanente e parecem nunca se encontrar para formar as redes. Em geral, as árvores plantadas se comportam como indivíduos solitários, por isso enfrentam muitas dificuldades e na maioria dos casos nem envelhecem – dependendo da espécie, seus troncos são considerados maduros para serem derrubados aos 100 anos.

2. A linguagem das árvores

Segundo o dicionário, fala é a "faculdade que tem o homem de expressar verbalmente suas ideias, emoções e experiências". Visto dessa forma, apenas os humanos podem falar, pois esse conceito se limita à nossa espécie. No entanto, não seria interessante descobrir que as árvores também podem se expressar? Claro que elas não produzem sons, por isso não há nada que possam escutar. Os galhos rangem e estalam ao entrar em atrito uns com os outros, e as folhas farfalham, mas esses sons são causados pelo vento, não dependem de ações delas. Acontece que as árvores marcam sua presença de outra forma: por meio dos odores que exalam.

Isso não é novidade para nós, seres humanos; afinal, usamos desodorantes e perfumes. E, mesmo que não usássemos, nosso odor transmite informações ao consciente e ao inconsciente de outras pessoas. Algumas parecem simplesmente não ter cheiro algum, enquanto outras usam o odor para atrair. Segundo a ciência, os feromônios do suor são fundamentais até para decidirmos quem será nosso parceiro, ou seja, com quem queremos ter filhos. Dessa forma, temos uma linguagem aromática secreta, que as árvores demonstraram também ter.

Há cerca de 40 anos cientistas notaram algo interessante na savana da África. As girafas comem a folhagem da *Acacia tortilis*, uma espécie de acácia que não gosta nem um pouco disso. Para se livrar dos herbívoros, poucos minutos depois de as girafas aparecerem as acácias bombeiam toxinas para as folhas. As girafas sabem disso e partem para as árvores próximas. Mas não tão próximas: primeiro elas pulam vários exemplares e só voltam a comer depois de uns 100 metros. O motivo é surpreendente: as acácias atacadas exalam um gás de alerta (no caso, etileno) que sinaliza às outras ao redor que surgiu um perigo. Com isso, todos os indivíduos alertados se preparam de antemão e também liberam toxinas. As girafas conhecem a tática e por isso avançam savana adentro até encontrarem árvores desavisadas. Ou então trabalham contra o vento, já que é ele que carrega a mensagem aromática, buscando acácias que ainda não detectaram sua presença.

Isso também acontece em outras florestas. Sejam faias, abetos ou carvalhos, as árvores percebem os ataques sofridos. Dessa forma, quando uma lagarta morde com vontade, o tecido da folha danificada se altera e ela envia sinais elétricos, da mesma forma que acontece com o corpo humano. No entanto, esse impulso não se espalha em milissegundos, como no nosso caso, mas a apenas 1 centímetro por minuto. Por isso demora até uma hora para que a substância defensiva chegue às folhas e acabe com a refeição da praga.[2] As árvores não são rápidas, e mesmo em perigo essa parece ser sua velocidade máxima.

Apesar do ritmo lento, as partes individuais do corpo de uma árvore não funcionam isoladamente. Por exemplo, se as raízes estiverem em dificuldade, a informação se espalhará pela árvore, que liberará uma substância especial pelas folhas. Essa capacidade de produzir diferentes substâncias é outra característica das árvores que as ajuda a identificar quem está atacando.

A saliva de cada espécie de inseto é única e pode ser tão bem classificada que as árvores são capazes de emitir substâncias que atraem predadores específicos desses insetos, que atacarão a praga e em consequência ajudarão as árvores. Os olmos e pinheiros, por exemplo, apelam a pequenas vespas que depositam seus ovos no corpo das lagartas que comem folhas.[3] A larva da vespa se desenvolve no interior da praga, que é devorada pouco a pouco, de dentro para fora. Assim as árvores se livram de pragas inconvenientes e podem continuar crescendo livremente. A capacidade de identificar a saliva das pragas comprova outra habilidade das árvores: elas também devem ter uma espécie de paladar.

No entanto, as substâncias odoríferas têm uma desvantagem: elas se dispersam rapidamente com o vento – em geral só são detectadas a, no máximo, 100 metros da árvore que a emitiu. De qualquer forma, como a propagação de sinais dentro da árvore ocorre com muita lentidão, pelo ar a árvore cobre áreas muito mais extensas e alerta partes distantes do próprio corpo com velocidade bem maior.

Muitas vezes as árvores não precisam pedir ajuda específica para se defender dos insetos. O mundo animal registra as mensagens químicas básicas das árvores, sabe qual espécie de árvore está sendo atacada e quais espécies predadoras devem se mobilizar. As que se alimentam do organismo que está atacando a árvore se sentem atraídas.

A árvore também sabe se defender por conta própria. Por exemplo, para matar insetos devoradores ou pelo menos para se tornar desagradável ao paladar do agressor, o carvalho libera, na casca e nas folhas, tanino, uma substância amarga e venenosa. O salgueiro produz salicina, um precursor da aspirina que tem o mesmo efeito que o tanino, mas não em nós, seres humanos: na verdade, o chá de sua casca alivia dores de cabeça e diminui a febre. A árvore precisa de tempo para ativar essa defesa, por isso a cooperação no alerta inicial é fundamental.

As árvores não confiam apenas no ar, pois o cheiro do perigo não alcançaria todas as vizinhas. Para contornar essa limitação, elas enviam mensagens também pelas raízes, que as conectam e não dependem do clima para funcionar bem. Recentemente uma pesquisa chegou à surpreendente conclusão de que os alertas são espalhados não apenas por meios químicos, mas também eletricamente, a 1 centímetro por segundo. Em comparação com o nosso corpo, é uma velocidade baixa, mas no reino animal existem espécies com velocidade de condução elétrica semelhante à das árvores, como as águas-vivas e as minhocas.[4] Quando a notícia se espalha, todos os carvalhos bombeiam tanino.

As raízes de uma árvore são muito longas, têm mais que o dobro da extensão da copa. Elas se entrelaçam e aderem às raízes das árvores vizinhas. No entanto, esse contato não acontece em todos os casos, pois na floresta também há árvores solitárias, que não querem se relacionar com as outras. Felizmente, porém, elas não conseguem bloquear os sinais de alarme. Na maioria dos casos as árvores se valem dos fungos para fazer a transmissão rápida das mensagens. Eles funcionam como os cabos de fibra óptica da internet. Os filamentos finos penetram a terra e se entremeiam pelas raízes em uma densidade inimaginável, a ponto de uma colher de chá de terra da floresta conter muitos quilômetros desses "condutores".[5]

Ao longo dos séculos, um único fungo pode se estender por muitos quilômetros quadrados e criar uma rede capaz de ligar florestas inteiras. Ele transmite sinais de uma árvore para outra e as ajuda a trocar notícias sobre insetos, secas e outros perigos. Aliás, a ciência já fala da existência de uma *wood wide web* que permeia as florestas. As pesquisas sobre quais e quantas informações são trocadas ainda estão no início. O que já se sabe é que os fungos seguem uma estratégia, calcada na intermediação e no equilíbrio, que às vezes põe em contato diferentes espécies de árvores, mesmo que sejam concorrentes.

Quando as árvores ficam enfraquecidas, talvez não percam apenas a capacidade de defesa, mas também a de se comunicar. Só isso explica por que os insetos escolhem atacar especificamente os espécimes debilitados. É possível que, ao captar os alertas químicos das árvores, eles mordam as folhas ou a casca para testar os indivíduos que não se comunicaram. Esse "silêncio" pode ser causado por uma doença grave, mas também pode se dever à perda da rede de fungos, que deixa a árvore incomunicável. Sem acesso à rede, ela não recebe o sinal de perigo iminente e acaba devorada por lagartas e besouros. Com isso, os espécimes solitários também ficam à mercê dos ataques. Eles podem até parecer saudáveis, mas de fato não fazem ideia do que está acontecendo a seu redor.

Na floresta, os arbustos e gramados também fazem esse tipo de troca (na verdade, possivelmente todas as espécies de plantas). No entanto, nas plantações a vegetação fica em silêncio. As plantas cultivadas não são capazes de se comunicar umas com as outras, seja por cima ou por baixo da terra. São quase surdas--mudas, por isso se tornam presas fáceis para insetos.[6] Esse é um dos motivos pelos quais a agricultura moderna usa tanto inseticida. Para estimular a comunicação entre as plantas, os agricultores deveriam aprender mais sobre as florestas e introduzir um pouco da vida selvagem em seus cultivos.

No entanto, a comunicação entre árvores e insetos não gira somente em torno de questões de defesa e doença. Percebemos e até sentimos os muitos sinais de contato positivo entre seres tão diferentes. Falo das agradáveis mensagens enviadas pelas flores. Elas não disseminam o aroma ao acaso ou para nos agradar. Ao enviar essa mensagem, as árvores frutíferas, os salgueiros e as castanheiras estão fazendo um convite às abelhas. Quando atendem ao chamado, os insetos recebem um néctar doce, rico em açúcar, como recompensa pela polinização.

Assim como um outdoor, a forma e a cor das flores também funcionam como um sinal. As árvores se comunicam por meios olfativos, visuais e elétricos (para isso se valem de uma espécie de célula nervosa nas pontas das raízes). E quanto aos sons? Como eu disse, as árvores são silenciosas, porém estudos mais recentes reconsideraram essa afirmação. Monica Gagliano, da Universidade da Austrália Ocidental, auscultou o solo junto com colegas de Bristol e Florença.[7] Como não seria nada prático ter árvores em laboratórios, foi mais fácil pesquisar brotos de cereais. E o fato é que os dispositivos de medição logo registraram um leve estalo das raízes a uma frequência de 220 hertz.

Esse fato por si só não significa muita coisa, afinal a madeira morta estala quando queimada. Mas o ruído captado no laboratório também foi ouvido pelas raízes não envolvidas no experimento. Quando eram expostas aos estalos a 220 hertz, as extremidades de suas raízes apontavam para a direção de onde a frequência era emitida. Isso significa que estavam registrando a frequência e, portanto, faz sentido dizer que os brotos "ouviram".

A possibilidade de haver troca de informações entre plantas por meio de ondas sonoras certamente desperta muita curiosidade. Talvez esta seja a chave para podermos compreender as árvores, descobrir se estão bem e de que precisam. Infelizmente ainda não alcançamos esse ponto, pois a pesquisa na área está apenas começando. Mas, quando ouvir estalos no seu próximo passeio pela floresta, lembre-se de que talvez não seja apenas o vento...

3. Serviço social

Os donos de jardins sempre me perguntam se árvores muito próximas podem acabar roubando luz e água umas das outras. Nas florestas comerciais os troncos devem engrossar e amadurecer o mais rápido possível, e para isso precisam de muito espaço e uma copa grande, redonda e uniforme. Além desse cuidado, de cinco em cinco anos suas supostas concorrentes são derrubadas. Como elas são enviadas para a serraria aos 100 anos, não chegam a envelhecer, por isso mal podemos notar os efeitos negativos dessas ações na saúde da árvore. Quais efeitos negativos? Não parece lógico que uma árvore cresça melhor quando não há concorrência e ela tem à disposição muito sol para a copa e água para as raízes?

De fato, para espécimes de espécies diferentes, essa lógica faz sentido, pois elas competem entre si pelos recursos. No entanto, no caso de árvores da mesma espécie, a situação muda. Já comentei que as faias podem fazer amizade e até alimentar umas as outras. A floresta não tem interesse em perder seus membros mais fracos, pois com isso surgiriam lacunas entre as copas. Com isso, a alta incidência de luz solar e o excesso de umidade do ar perturbariam o microclima sensível.

Por outro lado, com o isolamento, em tese a árvore poderia se desenvolver com liberdade e levar a vida individualmente. Poderia, pois na prática as faias pelo menos parecem valorizar o compartilhamento de recursos. Vanessa Bursche, da Universidade Técnica da Renânia do Norte-Vestfália em Aachen, fez uma descoberta fantástica com relação à fotossíntese em florestas de faias intocadas: as árvores se sincronizam de tal forma que todas têm o mesmo rendimento, o que é curioso, pois cada faia ocupa um lugar único. O solo pode ser pedregoso ou muito solto, armazenar muita ou pouca água, ser rico em nutrientes ou extremamente árido – e essas condições podem variar bastante em questão de metros. Dessa forma, cada árvore tem condições de crescimento diferentes e cresce em seu ritmo, de modo que pode produzir mais ou menos açúcar e madeira.

Tais fatores tornam a pesquisa ainda mais surpreendente: constatou-se que as árvores igualam os pontos fracos e fortes entre si. Não importa se têm o tronco grosso ou fino: todos os espécimes produzem a mesma quantidade de açúcar por folha. Esse nivelamento acontece nas raízes. No subterrâneo ocorre uma troca ativa, segundo a qual quem tem muito cede e quem tem pouco recebe ajuda. E é nesse momento que entram em cena os fungos, que, com sua rede extensa, funcionam como uma gigantesca redistribuidora de energia. Lembra um trabalho de assistência social tentando evitar que o abismo para os indivíduos desfavorecidos da sociedade cresça ainda mais.

Voltando à pergunta dos jardineiros, a proximidade não é um problema para o crescimento das faias, pelo contrário: elas gostam da situação e com frequência seus troncos ficam a menos de 1 metro de distância. Como resultado, as copas permanecem pequenas e grudadas. Muitos engenheiros florestais dizem que essa proximidade não é saudável, por isso algumas árvores são derrubadas para separar as demais. No entanto, pesquisadores da Universidade de Lubeque descobriram que a mata de faias cujos membros ficam próximos é mais produtiva. Há um crescimento nitidamente maior de biomassa, sobretudo de madeira, o que comprova a saúde do grupo. Elas otimizam a divisão de nutrientes e água e, assim, cada indivíduo pode se desenvolver da melhor forma possível.

Quando o homem resolve "ajudar" alguns espécimes livrando-os da suposta concorrência da mesma espécie, acaba deixando as árvores restantes solitárias. Elas mandam mensagens às árvores vizinhas em vão, pois restam apenas os tocos de seus troncos. Com isso, cada uma passa a cuidar apenas de si, e surgem grandes diferenças de produtividade entre os membros. Muitos indivíduos realizam tanta fotossíntese que transbordam açúcar. Assim, crescem melhor e ficam saudáveis, mas não vivem mais tempo, pois a qualidade da árvore depende da mata que a rodeia.

Na floresta também existem muitos perdedores, membros mais fracos que foram auxiliados pelos mais fortes mas mesmo assim ficaram para trás. Não importa se o motivo é a localização, a falta de nutrientes, a disposição genética ou outro problema qualquer: eles serão presas mais fáceis de insetos e fungos.

Do ponto de vista evolutivo, faz sentido que apenas os membros mais fortes da comunidade sobrevivam. Mas o bem-estar do grupo depende da comunidade, e, quando os membros supostamente fracos desaparecem, os outros também saem perdendo. A floresta fica mais exposta e o sol quente e as tempestades de vento alcançam o solo, interferindo na umidade e na temperatura ideal. Mesmo as árvores fortes adoecem muitas vezes no decorrer da vida. Quando isso acontece, passam a precisar do auxílio das vizinhas mais fracas. Caso as árvores menores já tenham morrido, bastará um inofensivo ataque de insetos para selar o destino de árvores gigantescas.

Certa vez, contribuí para um caso extraordinário de ajuda. No começo da carreira, eu realizava anelamento em faias mais jovens (técnica que consiste em retirar da árvore uma faixa de casca de 1 metro de largura para provocar sua morte). No fim das contas, é um método de redução do número de árvores no qual o tronco não é serrado, mas a árvore é abandonada ressecada e permanece morta na floresta. Apesar disso, elas abrem espaço para as vivas, porque suas copas se desfolham e deixam passar mais luz para as vizinhas.

Trata-se de um método brutal, pois elas demoram anos para morrer e foi por essa razão que parei de usá-lo. Vi como as faias lutavam e, sobretudo, que algumas sobreviviam apesar de tudo. Normalmente isso não é possível, pois sem casca (mesmo que seja apenas uma faixa dela) a árvore não consegue transportar açúcar das folhas para as raízes. Ela morre de fome, o bombeamento para e, como não chega mais água da madeira do tronco à copa, ela resseca. No entanto, mesmo assim, muitos espécimes continuaram crescendo com variados níveis de sucesso.

Hoje sei que isso só foi possível com a ajuda de suas vizinhas intactas. Usando a rede subterrânea, elas assumiram o fornecimento interrompido das raízes e possibilitaram a sobrevivência de suas companheiras. Muitas conseguiram até recuperar a casca cortada, fazendo crescer uma nova. Confesso que quando vejo o que fiz na época eu sinto vergonha. De qualquer forma, descobri como a comunidade das árvores pode ser forte. O antigo ditado que diz que "A corrente tem a força de seu elo mais fraco" poderia muito bem ter sido criado pelas árvores. E, como elas sabem disso por intuição, ajudam umas às outras de maneira incondicional.

4. Reprodução

O ritmo lento que regula a vida das árvores também fica evidente no momento em que vão se reproduzir, pois para isso elas se planejam com, no mínimo, um ano de antecedência. Cada espécie tem uma forma de funcionamento. Assim, algumas florescem toda primavera enquanto outras não. Por exemplo, enquanto as coníferas procuram espalhar sementes todo ano, as árvores frondosas buscam outra estratégia. Elas entram em sincronia e decidem se vão florescer na primavera seguinte ou esperar mais um ou dois anos.

Árvores de floresta gostam de florescer todas ao mesmo tempo, pois assim seus genes podem se misturar bem. É o que acontece com as coníferas, mas as árvores frondosas da Europa têm outro motivo para adotar essa tática: os javalis e os cervos, animais que adoram os frutos da faia e do carvalho, alimentos que os ajudam a formar uma camada grossa de gordura para suportarem o inverno. Na composição desses frutos há até 50% de óleos e amido – nenhum outro alimento tem um percentual tão alto a oferecer.

Durante o outono, os animais percorrem florestas inteiras atrás desses frutos, e na primavera não resta quase nenhum broto para germinar. Por isso as árvores entram em sincronia. Se elas não florescem todos os anos, os javalis e os cervos ficam sem esse alimento e sua reprodução acaba sendo limitada, pois as fêmeas prenhes precisam aguentar o longo inverno sem comida, e muitas não sobrevivem. Dessa forma, se as faias ou os carvalhos florescerem e derem frutos todos ao mesmo tempo, os poucos herbívoros que restam não conseguirão comer todos os brotos. Sobrarão sementes suficientes para haver germinação. Nos anos de reprodução das árvores, os javalis conseguem triplicar sua taxa de nascimentos, pois encontram alimento suficiente durante o inverno.

Antigamente, os camponeses aproveitavam que os frutos caíam e levavam seus porcos para a floresta, no intuito de engordá-los e formar uma boa camada de gordura antes de abatê-los. Quando isso acontecia, no ano seguinte a população de javalis normalmente voltava a cair, porque as árvores não se reproduziam, e o solo da floresta ficava vazio.

Esse florescimento em intervalos de vários anos também traz graves consequências para os insetos, especialmente as abelhas, pois elas sofrem do mesmo problema que os javalis: uma pausa de muitos anos no florescimento faz sua população entrar em colapso. Ou melhor, faria, pois as abelhas não conseguem formar grandes populações em florestas de árvores frondosas. O motivo: as florestas não dão a mínima para as pequenas ajudantes. De que adiantam algumas polinizadoras se milhões de flores se abrem por centenas de quilômetros quadrados? Dessa forma, as árvores precisam recorrer a uma estratégia mais confiável e que não exija nenhum tributo. E não há nada mais natural do que o vento dar essa ajuda, pois ele carrega o pólen das flores até as árvores vizinhas. As lufadas de vento ainda têm outra vantagem: sopram em temperaturas mais baixas, às vezes abaixo de 12ºC, temperatura fria demais para as abelhas, que permanecem na colmeia.

Provavelmente também é por isso que as coníferas se valem dos ventos para a reprodução. Mas a verdade é que não necessitam dessa estratégia, pois florescem quase todo ano. E não precisam ter medo dos javalis, pois as pequenas nozes de abetos e outras árvores desse tipo não representam uma boa fonte de nutrientes. Até existem espécies de pássaros que se alimentam dos frutos das coníferas, como o cruza-bico, que, como o nome já diz, tira os frutos dos galhos com a ponta do bico forte e cruzado nas extremidades e come as sementes. No entanto, considerando a quantidade geral de frutos, os pássaros não são um grande problema. E como quase nenhum animal gosta de usar as sementes das coníferas como reserva para o inverno, elas soltam suas sementes, que contam com mecanismos que as permitem cair devagar e ser levadas pelo vento.

Como se quisessem superar as árvores frondosas na reprodução, as coníferas liberam uma quantidade imensa de pólen. O volume é tão grande que, na época do florescimento, a menor brisa levanta nuvens de poeira colossais sobre as florestas de coníferas, dando a impressão de que está havendo um incêndio debaixo das copas e a fumaça está subindo.

Com uma situação tão caótica, surge a pergunta: é possível evitar a reprodução consanguínea (entre indivíduos com algum grau de parentesco)? A resposta é que as árvores sobreviveram até hoje porque apresentam uma grande diversidade genética dentro da mesma espécie. Quando todas liberam o pólen ao mesmo tempo, os minúsculos grãos dos espécimes se misturam e atravessam a copa de todas as árvores. Por outro lado, como o pólen se concentra muito em volta da própria árvore que o gera, há uma grande chance de que as flores femininas sejam fecundadas pelo pólen masculino do mesmo espécime. Para evitar que isso aconteça, as árvores criaram diversas estratégias. Muitas espécies – como os abetos – determinam o melhor momento para o lançamento do pólen. Flores masculinas e femininas florescem com intervalo de alguns dias para que a maior parte das femininas seja polinizada por outras árvores da espécie.

Já a cerejeira tem os órgãos reprodutores masculino e feminino na mesma flor, por isso não conta com essa possibilidade. Além disso, é uma das poucas espécies genuinamente florestais que se deixam polinizar por abelhas. Quando o inseto vasculha sua copa inteira, pode acabar distribuindo o pólen de uma árvore entre seus próprios órgãos reprodutores femininos. No entanto, a cerejeira é sensível e pressente o risco de consanguinidade. Quando um grão de pólen entra em contato com o estigma da flor (parte terminal do gineceu que capta os grãos de pólen e onde depois eles germinam), seus genes são ativados, e um tubo se estende até o ovário, em busca de um óvulo. Nesse processo a árvore testa o material genético do pólen. Se a cerejeira descobrir que o pólen é dela própria, ela bloqueia o tubo, que acaba se atrofiando. Só o material genético vindo de outros espécimes e que parece capaz de realizar uma boa fecundação tem passagem liberada para formar sementes e frutos.

Mas como a árvore consegue distinguir se o material genético é dela? Até hoje não se tem certeza. Sabe-se apenas que os genes são ativados pelo pólen de outros espécimes e só com isso ele consegue passar. Pode-se dizer que a árvore consegue sentir. O mesmo vale para nós, seres humanos. O sexo significa mais do que a simples liberação de substâncias químicas, que por sua vez ativam a secreção corporal. De qualquer modo, o que a árvore vivencia durante a reprodução é algo que permanecerá por muito tempo apenas no campo das especulações.

Muitas espécies impedem a consanguinidade por um mecanismo bem eficaz: cada indivíduo tem apenas um sexo. Assim, existem salgueiros machos e salgueiros fêmeas, que nunca poderão se reproduzir sozinhos; apenas com espécimes do sexo oposto.

Mas os salgueiros não são árvores típicas de florestas. São pioneiras, ou seja, crescem onde não há floresta. Nesses terrenos abertos costumam crescer milhares de ervas e arbustos, que, ao florir, atraem abelhas. Com isso, os salgueiros se aproveitam e também contam com a ajuda dos insetos para realizar sua polinização.

Nesse momento surge um problema: as abelhas precisam voar até o salgueiro macho e pegar o pólen para só depois transportá-lo até as árvores fêmeas. Na ordem inversa não ocorre fecundação. Como a árvore é capaz de realizar esse feito se ambos os sexos florescem ao mesmo tempo? Cientistas descobriram que o salgueiro exala um odor que atrai as abelhas. Quando os insetos se aproximam da árvore, podem se orientar pela visão. Por isso, o macho faz um grande esforço para que seus amentos (um tipo de inflorescência densa e pêndula que lembra a cauda de um gato) ganhem uma coloração amarela viva. Isso chama a atenção das abelhas primeiro para eles. Quando os insetos se alimentam do açúcar, vão embora e visitam as flores verdes e nada atraentes das fêmeas.[8]

Apesar de tudo, pode haver casos de consanguinidade nos exemplos apresentados, mas tanto o vento quanto as abelhas agem contra essa possibilidade, pois percorrem longas distâncias, de forma que ao menos parte das árvores recebe pólen de parentes bem distantes e, com isso, renova o banco genético local. Espécies raras e totalmente isoladas podem perder sua diversidade, o que as enfraquece e causa o fim da espécie em poucos séculos.

5. A loteria das árvores

As árvores mantêm um equilíbrio interno. Racionam a energia com todo o cuidado, pois precisam economizar para realizar todas as necessidades. Parte da energia é usada em seu crescimento: os galhos devem ser estendidos, o tronco precisa aumentar em diâmetro para suportar o peso cada vez maior. Outra parte é retida, para que ela possa reagir e bombear substâncias de defesa para as folhas e a casca caso seja atacada por insetos ou fungos. Por fim, resta a reprodução.

As espécies que florescem anualmente levam em conta esse enorme esforço ao calibrar seus níveis de energia e mantê-los em equilíbrio. No entanto, espécies como faias ou carvalhos, que florescem apenas a cada três ou cinco anos, perdem o equilíbrio na época de reprodução. Parte de sua energia já está reservada para outras atividades, mas mesmo assim elas produzem tantos frutos que tudo o mais fica em segundo plano. Com isso, começa a batalha por espaço nos galhos. As flores ocupam todo o espaço livre, obrigando as folhas a caírem. Quando isso acontece, a árvore fica completamente desfolhada e ganha uma aparência estranha. Não surpreende que nesses anos os relatórios sobre o estado das florestas indiquem que a situação das copas de espécies em florescimento é deplorável. E, como todas atingem esse estágio ao mesmo tempo, à primeira vista a floresta inteira parece doente.

A árvore não está doente, mas vulnerável, pois para florescer usa suas últimas reservas de energia. E ainda há um agravante: nessa época ela diminui a folhagem, por isso produz menos açúcar, que em sua maior parte acaba sendo transformado em óleo e gordura nas sementes. Assim, quase não resta energia para a árvore, que precisa estocar parte dela para o inverno e para se defender contra doenças.

Muitos insetos estão apenas esperando esse momento, como o besouro da espécie *Rhynchaenus fagi*, que bota seus ovos na folhagem jovem e indefesa. Suas larvas ínfimas e devoradoras abrem túneis entre as partes superior e inferior das folhas, deixando manchas na superfície. Já o besouro adulto abre buracos, dando a impressão de que um caçador atirou nelas com a espingarda. Em alguns anos, o ataque é tão violento que, de longe, as faias parecem mais marrons que verdes.

Normalmente, as árvores se defenderiam, secretando uma substância amarga que afastaria os insetos. Mas na época da floração elas não têm energia para isso e precisam suportar o ataque sem reagir. Os espécimes saudáveis sobrevivem, mas levam anos para se recuperar. No entanto, se a faia já estiver doente, um ataque de insetos desse porte pode significar sua morte.

Mesmo que a árvore soubesse que se encontra nesse estado, não deixaria de florescer. Com base em estudos realizados sobre épocas de alta taxa de mortalidade das florestas, sabemos que mesmo as árvores mais enfraquecidas florescem com frequência. Provavelmente querem se reproduzir antes que sua morte ameace sua herança genética. Algo semelhante acontece após verões mais quentes que o normal. Mesmo que a seca leve várias árvores à beira da morte, elas florescem todas juntas no ano seguinte. Dessa forma, pode-se concluir que quando carvalhos e faias produzem muitos frutos não estão indicando que o inverno seguinte será especialmente frio. A reprodução é definida no verão (antes de se saber se o inverno será rigoroso), portanto a grande quantidade é apenas um reflexo do clima no ano anterior.

No outono a redução das defesas volta a repercutir, porém nas sementes. Os besouros também perfuram os frutos, deixando-os completamente ocos e sem valor.

No período de germinação cada espécie de árvore tem uma estratégia própria de disseminação das sementes. Se as sementes caem em solo macio e úmido, precisam germinar logo e aproveitar o sol quente da primavera. Afinal, a cada dia que permanece caído e desprotegido, o embrião da árvore corre grande risco, pois pode ser comido por javalis e cervos. Essa é a situação dos frutos grandes, como os de faias e carvalhos. Para se tornar menos atraente para os herbívoros, então, o broto nasce o mais rápido possível. Essa é sua única tática de defesa, portanto as sementes não têm estratégia alguma contra fungos e bactérias. Assim, as mais lentas, que não germinam a tempo, acabam virando húmus antes da primavera seguinte.

Por outro lado, as sementes de muitas outras espécies aguardam até mais de um ano para germinar. Isso aumenta o risco de serem devoradas, mas também traz boas vantagens. Se germinassem em uma primavera seca, por exemplo, as mudas poderiam morrer, e com isso a energia gasta na produção do broto teria sido em vão. Além disso a semente também poderia cair no território de alimentação de um cervo, crescer e, ao virar muda, ser comida pelo animal. No entanto, se parte das sementes germinasse apenas depois de um ano ou mais, o risco de ser comida seria distribuído e aumentariam as chances de que alguma vingasse e se transformasse em árvore.

É exatamente essa a tática adotada pela tramazeira: suas sementes podem esperar até cinco anos para germinar em condições favoráveis. Como se trata de uma planta pioneira, essa é a estratégia adequada. Enquanto os frutos de espécies nativas da floresta caem embaixo da árvore-mãe e suas mudas crescem em um clima de floresta previsível e agradável, as da tramazeira podem se desenvolver em qualquer lugar, pois os pássaros que comem sua fruta ácida eliminam suas sementes pelas fezes. Se isso acontecer em uma superfície aberta, os anos em que houver estações com climas extremos, temperaturas especialmente altas e, consequentemente, escassez de água serão muito mais duros para a tramazeira do que para as outras espécies que crescem em florestas, sob as sombras úmidas e frescas. Para evitar isso, é melhor que pelo menos parte das sementes de plantas pioneiras só despertem e germinem depois de anos.

E quais são as chances de as mudas crescerem e se reproduzirem? Esse cálculo é relativamente fácil de fazer. Estatisticamente, cada tramazeira gera uma sucessora que um dia ocupará seu lugar. Porém as sementes que não são levadas pelo vento também podem germinar, e os brotos jovens aguardam durante anos ou mesmo décadas à sombra da árvore-mãe, mas em algum momento ficam sem energia. E elas não estão sozinhas: dezenas de outros espécimes se aglomeram aos pés da matriz, e pouco a pouco a maioria morre e vira húmus. Somente as poucas sortudas que foram carregadas pelo vento ou por animais para os espaços livres poderão começar a crescer sem restrições.

Mas, voltando às possibilidades, a cada cinco anos uma faia produz no mínimo 30 mil frutos (com as mudanças climáticas, esse intervalo mudou para cada dois ou três anos, mas vamos desconsiderar esse fato). Entre os 80 e 150 anos, dependendo de quanta luz recebe, ela alcança a maturidade sexual. Ao atingir a idade máxima de 400 anos, a faia poderá ter frutificado pelo menos 60 vezes e ter gerado, por baixo, 1,8 milhão de frutos. Desse total, um se tornará uma árvore adulta. Numa floresta, essa é uma boa probabilidade de sucesso, parecida com a chance de ganhar na loteria. Todos os outros esperançosos embriões serão comidos por animais ou transformados em húmus por fungos e bactérias.

Seguindo o mesmo esquema, vamos calcular as chances dos brotos em um caso mais adverso: o do álamo. As árvores-mães produzem até 26 milhões de sementes – por ano.[9] Essas certamente gostariam de trocar de lugar com os brotos da faia, pois, até que morra, sua progenitora formará mais de 1 bilhão de sementes, que, revestidas por uma camada de penugem, são carregadas pelo vento para novos campos. Mesmo assim, segundo a estatística, só uma dessas sementes se tornará um álamo adulto.

6. Devagar e sempre

Por muito tempo eu não soube a velocidade de crescimento das árvores. Na nossa reserva, as faias jovens têm entre 1 e 2 metros de altura. Antigamente, eu teria dito que a idade delas seria no máximo 10 anos. No entanto, quando comecei a estudar os mistérios que iam além da exploração florestal, passei a fazer observações mais atentas. É possível descobrir a idade de faias mais jovens pelos nós que se encontram nos galhos, pequenos engrossamentos que lembram uma sequência de pregas finas. Todo ano eles se formam embaixo dos botões e acabam ficando para trás quando estes eclodem na primavera seguinte e os galhos crescem. Ano após ano isso se repete. Assim, o número de nós equivale à idade da árvore. Quando o galho engrossa mais que 3 milímetros, os nós desaparecem por baixo da casca que se expande.

Ao examinar faias jovens, descobri que um galho de 20 centímetros apresenta 25 desses pontos de engrossamento. Nesse curto espaço não havia mais nenhuma indicação de idade, mas, quando fiz uma projeção da idade total da árvore a partir da idade do galho, concluí que ela devia ter pelo menos 80 anos. Na época isso me pareceu incrível, até que passei a estudar as florestas antigas e descobri que isso é totalmente normal.

As árvores jovens desejam crescer rápido, e para elas não é problema algum fazer um estirão de meio metro por estação. No entanto, as mães não gostam muito da ideia: cobrem as mudas com suas copas imensas e, ajudadas por outras adultas, formam um teto denso sobre a floresta, deixando passar apenas 3% da luz do sol, que incidirá no solo ou nas folhas de suas filhas. Três por cento – praticamente nada. Com essa quantidade de luz elas só conseguem realizar fotossíntese suficiente para não definhar. Não é possível realizar um crescimento contínuo ou mesmo engrossar o próprio tronco, mesmo que apenas um pouco. E também não é possível se rebelar contra essa educação rigorosa, porque elas não têm energia para isso.

Educação? Sim, pois se trata de uma medida pedagógica que visa apenas ao bem-estar das árvores jovens, e é esse o termo usado por silvicultores e engenheiros florestais. Sua forma de educar é limitando a incidência da luz na árvore jovem. Com isso, a intenção dos pais não é evitar que a própria prole conquiste a independência o mais rápido possível. A verdade é que, segundo pesquisas, o crescimento lento das árvores jovens é uma precondição para que elas alcancem uma idade avançada. Nós perdemos a noção do que de fato é velho, pois para a silvicultura moderna a idade máxima das árvores é entre 80 e 120 anos – período em que os espécimes plantados são derrubados e utilizados.

No entanto, em condições naturais, a árvore chega a essa idade com a altura de um homem adulto e a largura de um lápis. Como cresceu devagar, as células da madeira em seu interior contêm pouco ar e são minúsculas. Isso as torna flexíveis e resistentes a rupturas em caso de tempestades. O mais importante de tudo, porém, é que a ausência de ar na célula aumenta sua resistência a fungos, que não conseguem se espalhar pelo tronco. A árvore que passa por esse processo tampa facilmente suas feridas com a casca antes de surgir qualquer ponto de apodrecimento.

Uma boa educação é garantia de uma vida longa, mas às vezes a paciência das mudas se esgota. Como mencionei no Capítulo 5, os frutos da faia e do carvalho caem aos pés da árvore-mãe. A Dra. Suzanne Simard, que ajudou a descobrir o instinto maternal das árvores, descreve as árvores-mães como espécimes dominantes ligados a outras árvores pelas conexões entre raízes. Essas árvores transmitem seu legado para a geração seguinte e influenciam a criação das árvores jovens.[10] Na nossa floresta há faias jovens, que já aguardam há pelo menos 80 anos debaixo da progenitora de cerca de 200 anos (convertendo para o padrão humano, 40 anos). Possivelmente a espera durará mais 200 anos até terem a chance de crescer. No entanto, essa espera não é tão ruim: as árvores-mães estão em contato com as filhas pelas raízes e lhes fornecem açúcar e outros nutrientes. Podemos dizer que as árvores são amamentadas.

É possível descobrir por conta própria se a árvore se encontra em estado de espera ou se já tem condições de crescer com rapidez. Para isso, no caso de um abeto-branco ou uma faia, basta observar os galhos. Se o crescimento lateral for visivelmente maior que o vertical, é sinal de que ela está em modo de espera, pois o sol que a árvore tem recebido não basta para formar um tronco maior. Sua saída, portanto, é tentar captar os poucos raios que chegam a ela da maneira mais eficaz possível. Assim, estendem seus galhos perpendicularmente e desenvolvem folhas e agulhas (folhas com formato de agulha, típicas de árvores coníferas) adaptadas para a sombra, mais finas e sensíveis. Em geral não se consegue ver o broto principal nesses espécimes; eles lembram mais um bonsai de copa achatada.

Mas um dia a espera acaba. A mãe alcança a idade-limite ou adoece. Então, uma tempestade de verão pode dar fim a essa história. Sob a forte chuva, o tronco apodrecido não consegue mais aguentar as toneladas de peso da copa e se quebra. Quando cai, acaba matando algumas das mudas que aguardavam para crescer. A abertura que surge no dossel de folhas funciona como um sinal de largada para as árvores jovens que sobrevivem à queda da mãe, pois agora elas podem realizar a fotossíntese a todo o vapor. Com isso, o metabolismo precisa mudar, e elas devem passar a formar folhas e agulhas que recebam e processem a luz mais intensa. Esse processo dura entre um e três anos. Ao fim do período de formação, todas as árvores jovens desejam começar a crescer, e apenas as que crescerem direto para cima e sem titubear permanecerão na corrida. A árvore que crescer lateralmente ou demorar para crescer para cima será ultrapassada pelas outras e voltará a ficar à sombra. A diferença é que ficarão sob as folhas das mudas que as ultrapassaram, onde é ainda mais escuro do que antes, pois as árvores jovens consomem a maior parte da luz fraca que chega. Por isso, as que ficam para trás morrem e se transformam em húmus.

Enquanto elas crescem surgem outros perigos. A luz do sol estimula a fotossíntese e promove o crescimento da árvore, e os botões das mudas passam a receber mais açúcar. No período de espera, eram duras e amargas, mas com a mudança se tornam deliciosas para os cervos, que comem parte das árvores a fim de sobreviver ao inverno. Mas, como a quantidade de brotos é gigantesca, um número suficiente acaba vingando.

As plantas floríferas também tentam se aproveitar das áreas que recebem maior incidência de luz por alguns anos, como a madressilva. Usando suas gavinhas (um apêndice usado por plantas para se ligar a outras), ela escala o tronco se enroscando para a direita, no sentido horário, no mesmo ritmo de crescimento que a muda de árvore, e expõe suas flores ao sol.

Contudo, com o passar dos anos, suas gavinhas penetram a casca da árvore e aos poucos a estrangulam. Nesse momento a sorte entra em jogo: se o teto formado pelas copas das árvores mais velhas voltar a se fechar por um tempo, a sombra retornará e a madressilva morrerá, deixando apenas cicatrizes. Mas, se a clareira permanecer por mais tempo (talvez porque a árvore-mãe que morreu era muito grande e abriu uma lacuna correspondente), a madressilva continuará crescendo, e a árvore jovem poderá ser sufocada.

A árvore que vence todos os obstáculos e continua crescendo com saúde terá a próxima prova de paciência em, no máximo, 20 anos, tempo para as vizinhas da árvore-mãe que morreu estenderem seus galhos e ocuparem a lacuna. Com isso, também ganham um pouco de espaço para realizar mais fotossíntese na velhice e ampliar a copa. Quando o andar de cima for totalmente ocupado, o andar de baixo voltará a ficar no breu. A essa altura os espécimes jovens de faias, abetos ou pinheiros já percorreram metade do caminho, porém mais uma vez vão ter que esperar até uma de suas grandes vizinhas morrer. Isso pode levar muitas décadas, mas a essa altura a sorte delas já está lançada. Os espécimes que alcançam esse estágio intermediário não são mais ameaçados pelos concorrentes. São os próximos na linha sucessória.

7. Etiqueta da floresta

As árvores da floresta seguem um manual de etiqueta tácito, que dita sua aparência e o que devem fazer. Na idade adulta, um exemplar frondoso e disciplinado deve ter tronco ereto, com fibras internas de madeira completamente uniformes. As raízes se estendem de forma simétrica em todas as direções e se aprofundam na terra. Os galhos laterais, finos na juventude, já morreram e foram cobertos por casca fresca e madeira nova, apresentando assim um tronco longo e homogêneo. Apenas na extremidade superior é que se forma uma copa uniforme de galhos fortes que apontam para o céu como braços estendidos na diagonal. Uma árvore ideal como essa pode viver bastante. No caso das coníferas, as regras são semelhantes – a diferença é que os galhos da copa podem ser perpendiculares ou levemente curvados para baixo.

Mas para que tudo isso? As árvores se importam com a beleza? Não sei, mas existe um bom motivo para buscarem a aparência ideal: estabilidade. As grandes copas das árvores adultas ficam expostas a ventanias, tempestades e nevascas. A árvore precisa amortecer o impacto dessas forças e conduzi-las através do tronco até as raízes, que devem conter a maior parte da energia para impedir que a árvore tombe. Para isso, a raiz se agarra ao solo e às pedras. A violenta energia redirecionada de um vendaval pode atingir a base do tronco com uma força equivalente a 200 toneladas.[11] Se a árvore tiver algum ponto fraco, ele pode se transformar em uma fissura e, em casos mais graves, quebrar o tronco. As árvores estáveis atenuam esse impacto de maneira uniforme, dissipando-o e distribuindo-o por sua estrutura.

No entanto, quem não segue o manual de etiqueta tem dificuldades. Se o tronco estiver curvado, por exemplo, terá problemas durante a hibernação. O enorme peso da copa não será bem distribuído pelo diâmetro do tronco e acabará pressionando apenas um lado da madeira. Para que o tronco não dobre, a árvore terá que fortalecer esse lado. Quando precisar se valer desse mecanismo, surgirão anéis especialmente escuros no tronco (nos pontos onde armazena menos ar e mais substâncias).

A situação das árvores de tronco bifurcado, ou em forquilha, é ainda pior. Nesses casos, o tronco se divide em determinado ponto, e a partir daí as duas partes crescem lado a lado. Quando bate um vento forte, as partes, cada uma com sua copa, balançam e forçam o ponto de bifurcação. Se ele tiver a forma de U, normalmente não há problema, e nada acontece, mas se a forquilha for em forma de V podem surgir complicações, pois o ponto de convergência será muito pontudo, e não dará uma base de sustentação larga o suficiente para que a árvore suporte a força do vento. Ela acaba se partindo onde o tronco se divide.

Isso pode causar dificuldades para a árvore. Depois da quebra ela cria uma protuberância na região afetada para que não haja outro rompimento quando voltar a crescer. No entanto, em geral essa tática é inútil, e o ponto de quebra passará a vazar continuamente um líquido que ganha uma coloração preta por causa das bactérias. Para piorar, a água começa a penetrar a fissura e provoca apodrecimento. Por isso, no caso de muitas forquilhas, quando a árvore se parte ao meio a metade mais estável permanece em pé. Essa meia árvore sobrevive no máximo algumas décadas.

A ferida imensa e aberta não tem mais cura, e lentamente os fungos começam a devorá-la de dentro para fora.

Muitas árvores têm o tronco curvado como uma banana. Sua base cresce inclinada, e só mais tarde começam a crescer verticalmente. Elas ignoram o manual de etiqueta, e com frequência é possível encontrar partes inteiras de uma floresta com tronco curvado. Será que, nesse caso, as leis da natureza estão sendo ignoradas? Não. Muito pelo contrário: é o entorno que as obriga a crescer dessa forma.

Isso acontece, por exemplo, nas partes elevadas de montanhas pouco antes dos limites da floresta. Em certos lugares com inverno rigoroso, a neve costuma atingir alguns metros de altura, e sempre há deslizamentos. E não precisam ser avalanches: mesmo em repouso a neve se desloca lentamente vale abaixo, em um movimento imperceptível aos nossos olhos. Com isso, acaba curvando as árvores, ao menos as mais jovens. No caso das menores, isso não é uma tragédia, pois elas voltam a se aprumar depois do derretimento da neve e não sofrem ferimento algum. No entanto, nas de crescimento médio, com alguns metros de altura, o tronco é danificado ou, no pior dos casos, fica retorcido ou até se quebra. A partir de então tentam crescer verticalmente, mas, como crescem a partir da ponta superior, a base permanece na mesma posição. No inverno seguinte, a árvore é entortada outra vez pela neve, mas quando cresce é em linha reta.

Se isso se repetir por muitos anos, aos poucos a árvore é moldada e ganha o formato de um sabre. Só com o passar do tempo o tronco engrossa o bastante e fica tão estável que a neve não consegue mais danificá-lo. Com isso, a parte torta inferior permanece curva, enquanto a superior fica reta como nas árvores normais.

Em encostas, a árvore também pode crescer dessa forma mesmo sem a pressão da neve. Nesse caso, talvez a causa seja o solo, que ao longo dos anos desliza de maneira extremamente lenta para o fundo do vale. Quase sempre o terreno desce apenas poucos centímetros por ano. Com isso, as árvores deslizam e se inclinam enquanto continuam crescendo para cima.

É possível observar a versão extrema desse fenômeno no Alasca e na Sibéria, lugares onde a camada de solo permanentemente congelado começa a derreter por causa da mudança climática. As árvores perdem o apoio e se desequilibram no solo enlameado. Cada espécime se inclina em uma direção, e a floresta lembra um bando de bêbados cambaleantes.

Nos limites da floresta, a regra que dita o crescimento reto dos troncos perde força. Ao contrário do que acontece no centro da floresta, a luz também incide de lado, atravessando qualquer local sem árvore, como uma pradaria ou um lago. Dessa forma, árvores menores podem sair de baixo das grandes e crescer na direção do terreno aberto. As frondosas podem curvar seu tronco e deslocar sua copa em até 10 metros, inclinando o broto principal de maneira quase horizontal. Claro que, com esse movimento, a árvore corre o risco de quebrar numa nevasca. No entanto é melhor uma vida curta mas com luz suficiente para a reprodução do que não viver.

Enquanto a maioria das árvores frondosas aproveita a oportunidade, grande parte das coníferas é teimosa: só cresce diretamente para cima e em linha reta, contra a gravidade, formando um tronco perfeito e estável. Somente os galhos laterais às margens da floresta podem ficar mais grossos e longos com a incidência da luz. O pinheiro é a única conífera que desloca a copa. Não surpreende que, entre esse grupo de espécies, seja a que apresenta a maior taxa de rompimento sob o peso da neve.

8. Escola das árvores

Para as árvores, é mais difícil suportar a sede do que a fome, pois alimento elas obtêm a qualquer momento realizando a fotossíntese. No entanto, as árvores não produzem nutrientes sem umidade. Por dia, uma faia adulta consegue captar mais de 500 litros de água nos galhos e nas folhas, desde que consiga extraí-la do subsolo.[12]

No entanto, a umidade do solo se esgotaria rapidamente caso a árvore fizesse isso em todos os dias do verão europeu. Nessa época, não chove o bastante para encharcar o solo ressecado. Por isso, a árvore armazena água durante o inverno, estação em que chove mais do que o suficiente na Europa Central e a árvore praticamente não consome água, pois quase todas as plantas param de crescer nessa época.

Junto com as precipitações da primavera, que ficam armazenadas no subterrâneo, a umidade captada é suficiente até o início do verão. Mas em muitos anos há estiagem. Com duas semanas de calor intenso e tempo seco, a maioria das florestas começa a passar dificuldade, o que afeta sobretudo árvores adaptadas a solos especialmente úmidos. Elas esbanjam água, e em geral são os espécimes maiores e mais robustos que pagam por esse comportamento.

Na nossa reserva, os abetos são os que mais sofrem – não em toda a sua estrutura, mas sobretudo no tronco. Quando o solo está seco e as agulhas da copa exigem mais água, a tensão na madeira ressecada fica alta demais. Ela estala e crepita até surgir uma fissura de quase 1 metro de comprimento que vai da casca até os tecidos mais profundos e fere a árvore gravemente. Em pouco tempo esporos de fungos penetram a ferida, alcançam a parte mais interna da árvore e começam a causar destruição. O abeto tenta reparar o ferimento ao longo dos anos seguintes, mas ele se abre outra vez. Mesmo de longe é possível ver os sulcos pretos de resina endurecida, que marcam o doloroso processo.

Com isso, chegamos ao centro da escola das árvores, lugar em que impera a violência, pois a natureza é uma professora rígida. Quem não for atento e não se adaptar vai sofrer as consequências. Fissuras na madeira, na casca, no câmbio (camada cilíndrica de células extremamente sensível encoberta pela casca e que se estende em volta do alburno, a parte do tronco que conduz a água): a situação da árvore é grave. Ela precisa reagir, e não só tentando fechar os ferimentos. Depois que passa por isso, a árvore para de desperdiçar água e a distribui com mais eficiência. Ela de fato aprende esse comportamento e, por precaução, o exibe mesmo quando o solo está bem úmido.

Na nossa reserva esse comportamento é comum entre os abetos que crescem num solo bastante úmido: são mimados com tamanha facilidade. Mas um quilômetro adiante, numa encosta seca e pedregosa, a situação é bem diferente. Quando cheguei ali pela primeira vez, esperava encontrar árvores afetadas pela forte seca do verão. No entanto, o que vi foi o contrário: ali as árvores eram disciplinadas e suportavam condições muito piores que suas colegas acostumadas à maior oferta de água. Mesmo com pouca água à disposição durante o ano (o solo armazena menos água e o sol queima muito mais, causando a evaporação), os abetos estavam saudáveis. Cresciam nitidamente mais devagar do que as de solo úmido, mas usavam melhor a pouca água a que tinham acesso e sobreviviam bem até em anos mais extremos.

É muito mais fácil ver como as árvores aprendem a lição da estabilidade. Basicamente elas evitam tudo o que é desnecessário. Para que formar um tronco robusto se ela pode se apoiar nas árvores vizinhas? Desde que se mantenham de pé, nada de muito ruim pode acontecer. No entanto, na Europa Central, a cada dois anos, um grupo de operários florestais ou uma máquina de colheita entra na floresta e derruba 10% da madeira. Nas florestas naturais, é quando uma poderosa árvore-mãe morre de velhice que as outras em seu entorno perdem seu suporte. Isso porque, como resultado, surgem lacunas no dossel de folhas, e as faias e os abetos que antes estavam numa posição confortável de repente perdem o equilíbrio. E, como são lentas, essas árvores levam de três a 10 anos para voltar a se equilibrar.

O processo de aprendizagem é acionado por microfissuras dolorosas que nascem quando o tronco balança com força pela ação do vento. A árvore precisa fortalecer a estrutura nos pontos onde isso acontece, e para tanto gasta uma energia que lhe faltará para crescer em altura. Por outro lado, com a queda da vizinha há um pequeno consolo: a sobrevivente passa a receber mais luz na copa. No entanto são necessários alguns anos até que ela possa se valer dessa vantagem.

Até então, suas folhas estavam adaptadas à penumbra, portanto eram muito frágeis e sensíveis à luz. Com o sol forte, são parcialmente queimadas. Como os botões para o ano seguinte já foram criados na primavera e no verão anteriores, as árvores frondosas só conseguem se adaptar após dois anos. As coníferas precisam de mais tempo, pois suas agulhas permanecem no galho até sete anos. A situação só se normaliza quando todas as folhas ou agulhas se renovam.

Dessa forma, a grossura e a estabilidade de um tronco são determinadas pelos contratempos que sofre. Esse jogo pode se repetir várias vezes na vida de uma árvore de uma floresta natural. Quando a lacuna criada por uma árvore caída se fecha por causa do crescimento das copas das árvores que se encontram ao redor, elas voltam a se apoiar umas nas outras. Com isso, podem outra vez empregar mais energia para crescer em altura do que em diâmetro de tronco.

Voltando à ideia de escola, se as árvores são capazes de aprender (e basta observá-las para saber que são), surge a seguinte questão: onde e como armazenam o conhecimento adquirido? Afinal, elas não têm cérebro para guardar informações e gerenciar seus processos. A pergunta vale para todas as plantas, por isso vários pesquisadores são céticos e muitos especialistas acreditam que a capacidade de aprendizado da flora não passa de fantasia.

É nesse momento que mais uma vez surge a cientista australiana Dra. Monica Gagliano. Ela pesquisa as mimosas (também conhecidas como dormideiras), um subarbusto tropical que funciona especialmente bem como objeto de investigação porque é possível estimulá-las. Além disso, como são pequenas, é mais fácil pesquisá-las em laboratório do que as árvores. Quando tocadas, elas fecham suas folhinhas penadas. Em um experimento, gotas d'água caíam a intervalos regulares sobre a planta. No início, as folhas se fechavam imediatamente, mas depois de um tempo a planta aprendeu que a água não lhe oferecia nenhum risco. A partir de então, passaram a permanecer abertas enquanto as gotas caíam.

Para Gagliano o mais surpreendente foi descobrir que as mimosas retiveram a informação e aplicaram a lição aprendida mesmo depois de semanas após o experimento.[13] Infelizmente, não é possível deslocar faias ou carvalhos inteiros para um laboratório e realizar pesquisas sobre aprendizagem.

Existe outra pesquisa com água que investiga mudanças de comportamento mas traz uma nova informação: quando as árvores sentem muita sede, começam a gritar. Não podemos ouvir os gritos, pois eles se dão em uma frequência ultrassônica. Cientistas do Instituto Federal de Pesquisa sobre Floresta, Neve e Paisagem, na Suíça, gravaram os sons e nos explicaram da seguinte forma: quando o fluxo de água enviado das raízes até as folhas é interrompido no tronco, ocorrem vibrações. É um processo totalmente mecânico e não tem nenhum significado.[14] Ou será que tem? Sabemos apenas como esses sons são produzidos, e, comparando com a forma como o homem produz som, concluímos que os processos não são tão diferentes. No nosso caso, o ar passa pela traqueia e faz as cordas vocais vibrarem. Quando penso nos resultados da pesquisa sobre as raízes que estalam, seria totalmente cabível concluir que essas vibrações eram algo mais – gritos de sede, talvez até um alerta às colegas de que a água está acabando.

9. União

As árvores são muito sociáveis e ajudam umas às outras, mas isso não basta para sobreviverem bem no ecossistema da floresta. Cada espécie tenta ganhar espaço, melhorar seu desempenho e com isso reprimir outras. Além da luta pela luz, no fim das contas é a luta pela água que decide a vencedora. As raízes das árvores são muito eficazes no aproveitamento do solo úmido. Formam uma penugem fina que aumenta sua superfície de contato e retém o máximo possível de água. Em circunstâncias normais, isso basta, porém quanto mais puderem captar, melhor. Por essa razão, há milhões de anos as árvores fizeram um acordo com os fungos.

Os fungos são seres surpreendentes. Na classificação-padrão dos seres vivos não se encaixam como animais nem como plantas. As plantas, por definição, produzem seus nutrientes a partir de matéria inorgânica, ou seja, sobrevivem de maneira totalmente independente de outras formas de vida. Não surpreende que, em terrenos áridos e desérticos, os animais só apareçam depois de surgir vegetação, já que os animais precisam se alimentar de outros seres vivos para sobreviver. Acontece que a grama e as árvores jovens não gostam nem um pouco de ser comidas por vacas ou cervos. Não importa se um lobo come um javali ou um cervo devora um broto de carvalho: em ambos os casos há dor e morte.

Os fungos se encaixam em algum ponto entre os dois reinos. Suas paredes celulares são formadas de quitina, substância que os aproxima dos insetos e não existe em plantas. Além disso, não realizam fotossíntese e dependem de ligações orgânicas de outros seres vivos dos quais se alimentam.

Ao longo de décadas, o micélio (rede subterrânea da maioria das espécies de fungo, formada por filamentos extremamente finos) tende a se ampliar mais e mais. Na Suíça, um único fungo do gênero *Armillaria*, comumente chamado de cogumelo-do-mel, alcança quase 500 metros quadrados de extensão e tem cerca de mil anos.[15] No estado norte-americano de Oregon, outro pesa 600 toneladas, tem cerca de 2.400 anos e ocupa mais de 8 quilômetros quadrados de extensão.[16] Dessa forma, os fungos são os maiores seres vivos conhecidos do planeta. No entanto, são inimigos das árvores, pois podem matá-las enquanto buscam tecidos comestíveis. Aqui, porém, vamos nos ater às relações amistosas entre fungos e árvores.

Se uma espécie de árvore encontra um fungo com um micélio adequado às suas raízes (por exemplo, o fungo *Lactarius quietus* e o carvalho), ela pode multiplicar sua superfície de raiz e captar muito mais água e nutrientes. Quando isso acontece, a planta passa a receber o dobro de nutrientes fundamentais (como o nitrogênio e o fósforo), em comparação com espécimes que captam água e nutrientes do solo sem ajuda, apenas com as próprias raízes.

Para fazer parceria com um dos milhares de espécies de fungo, a árvore precisa ser muito aberta – literalmente, pois os filamentos do fungo penetram as partes finas e macias da árvore. Não existe pesquisa para descobrir se o processo é doloroso, mas, como é do interesse da árvore, imagino que para ela seja agradável. A partir daí eles trabalham em parceria. O fungo penetra e cerca a raiz da árvore e expande sua rede pelo solo do entorno. Com isso aumenta a área de atuação normal da raiz, cresce na direção de outras árvores e se conecta com fungos parceiros e as raízes às quais estão ligados. Dessa forma surge toda uma rede de troca de nutrientes (veja o Capítulo 3) e até de informações (por exemplo, sobre um ataque iminente de insetos).

Portanto, os fungos são como a internet da floresta. E essa ligação também é necessária para eles, pois dependem de nutrientes de outras espécies, característica que os aproxima dos animais. Sem os nutrientes, eles morreriam de fome. Ou seja, demandam da árvore um pagamento em forma de açúcar e outros carboidratos. E não são muito conservadores nesse quesito: para prestarem seus serviços, exigem até um terço de toda a produção.[17]

Como dependem de outras espécies, eles não deixam nada ao acaso e usam suas fibras delicadas para manipular as pontas das raízes. Primeiro ouvem o que a árvore tem a dizer por meio de suas estruturas subterrâneas. Se concluírem que a árvore é útil, começam a produzir hormônios que orientam o crescimento celular do vegetal de maneira favorável a eles.[18]

Para obter açúcar, o fungo ainda oferece alguns serviços adicionais. Um deles é a filtragem de metais pesados, que prejudicam as raízes mas pouco os afetam. Então, na Europa, todo outono essas substâncias vão parar nos belos cogumelos comestíveis colhidos na floresta e levados para casa. Dessa forma, é natural, por exemplo, que o césio radioativo ainda existente no solo de Tchernóbil por causa da explosão nos reatores em 1986 possa ser encontrado em concentrações mais altas nos cogumelos. O pacote dos fungos também oferece serviços de saúde – o micélio combate espécies intrusas, inclusive ataques de bactérias ou outros fungos.

Desde que a relação seja benéfica, fungos e árvores podem viver séculos em parceria. No entanto, mudanças no ambiente (por exemplo, aumento da poluição) podem representar o fim da linha para os fungos. Mas as árvores não guardam muito tempo de luto e logo arranjam outra espécie que se acomode a seus pés. Toda árvore tem várias opções de fungos e só se vê numa situação grave quando fica sem nenhuma.

Os fungos, por sua vez, são mais suscetíveis. Muitas espécies buscam a árvore adequada e, assim que a encontram, se unem a ela para o que der e vier. Algumas têm "preferências" e buscam, por exemplo, apenas bétulas ou lariços. Outras, como o *Cantharellus cibarius*, se adaptam a muitas espécies de árvore: não importa se vão se ligar a um carvalho, uma faia ou um abeto, o importante é haver espaço livre debaixo da árvore. E a concorrência é grande: nas raízes de um único carvalho de floresta é possível encontrar pelo menos vestígios de mais de 100 espécies de fungos. Para a árvore isso é muito vantajoso, pois quando há mudanças climáticas e um fungo deixa de beneficiá-la o candidato seguinte já está batendo à porta.

No entanto, os pesquisadores também descobriram que os fungos têm lá suas garantias. As tramas formadas pelos micélios se ligam a árvores de diversas espécies. Para chegar a essa conclusão injetaram carbono radioativo em uma bétula e verificaram que a substância passou pelo solo e pelas ligações entre fungos e foi parar em uma douglásia vizinha. Embora muitas espécies de árvores travem lutas mortais e tentem reprimir umas às outras até nas raízes, os fungos parecem mais preocupados com o equilíbrio da floresta. Ainda não se sabe se com isso pretendem dar suporte a árvores hospedeiras de outros fungos ou apenas a fungos que podem estar precisando de ajuda (e que, por sua vez, estendem a parceria à sua árvore).

Suspeito que os fungos "pensem" um pouco mais que suas grandes parceiras. É fato que as diferentes espécies de árvore lutam umas contra as outras. No entanto, supondo que as faias possam alcançar a vitória na maioria das florestas, isso seria mesmo uma vantagem para o fungo? O que aconteceria se, por exemplo, um novo agente patogênico matasse a maioria das faias? Não seria mais vantajoso haver um certo número de outras espécies? Dessa forma carvalhos, bordos, freixos e pinheiros continuariam existindo, crescendo e fornecendo as sombras sob as quais uma nova geração de faias poderia germinar e se desenvolver. Essa diversidade assegura a continuidade das florestas ancestrais. Portanto, como os fungos também dependem de estabilidade, compensam no subsolo quase todas as conquistas de uma espécie de árvore, apoiando as "perdedoras" e evitando seu desaparecimento completo.

Se, mesmo com todo o suporte, a situação se complicar para o fungo e sua árvore hospedeira, o fungo pode tomar uma medida radical, como mostra o pinheiro da espécie *Pinus strobus* com seu parceiro *Laccaria bicolor*, cogumelo de duas cores que, em caso de falta de nitrogênio no solo, solta um veneno que mata pequenos animais, como os colêmbolos, insetos que, ao morrer, liberam o nitrogênio de seus corpos e se transformam em adubo involuntário para a árvore e o fungo.[19]

Já apresentei os ajudantes mais importantes das árvores, mas ainda há uma série de outros. Por exemplo, o pica-pau. Esta ave não chega a ser uma colaboradora de fato, mas, ao se aproveitar das árvores, acaba ajudando-as. Por exemplo, sempre que um besouro escotilíneo ataca as faias, elas correm risco, e insetos se multiplicam com tanta rapidez que podem matá-la em pouco tempo, pois se alimentam do câmbio da árvore. Se um pica-pau da espécie *Dendrocopos major* (pica-pau-malhado-grande) descobre o banquete, voa rapidamente até o lugar, sobe pelo tronco e, assim como um pica-boi nas costas de um ruminante, se alimenta das larvas, arrancando-as com o bico. A árvore quase não sente, mas o golpe arranca pedaços de casca. Isso pode até evitar que a faia sofra mais danos. E, mesmo quando a árvore não sobrevive, outros espécimes da espécie ficam protegidos, pois os besouros serão dizimados.

O pica-pau não está nem um pouco interessado no bem-estar da árvore, o que é nítido pelas cavidades onde fazem seus ninhos. Em geral, o pica-pau os constrói nos espécimes saudáveis, e para isso precisa feri-los bastante. Ou seja, mesmo que o pica-pau evite que muitas espécies de árvores sofram com infestações (por exemplo, impede que o carvalho seja infestado pelas larvas de besouro da família *Buprestidae*), para a ave isso é secundário.

Os besouros podem representar um perigo em anos secos, pois sem água a árvore perde a capacidade de se defender de agressores. Quem pode salvá-la é o *Pyrochroa coccinea*, percevejo vermelho que, quando adulto, se alimenta das secreções do pulgão e da seiva das plantas sem causar danos. No entanto, sua prole precisa de carne, e a consegue das larvas de besouro que vivem sob a casca das árvores frondosas. Muitos carvalhos sobrevivem graças a essa interação. No entanto, a situação do percevejo pode se complicar: se todas as espécies de besouros forem comidas, as larvas do *Pyrochroa coccinea* começarão a atacar outros percevejos da mesma espécie.

10. O mistério do transporte de água

Como a água sobe do solo até as folhas? Para mim, essa pergunta simboliza nosso estado atual de conhecimento científico sobre a floresta, pois comparativamente o transporte de água é um fenômeno mais simples de pesquisar do que a dor ou a comunicação entre as árvores. E, como parece tão banal, há décadas os professores universitários têm oferecido explicações bem simples.

Sempre me divirto ao discutir esse tema com os alunos. Atualmente, a resposta é que a água é transportada por capilaridade, ou força capilar, e transpiração. A primeira é fácil de observar no café da manhã. A capilaridade é a propriedade física que faz o café ficar alguns milímetros acima da borda da xícara cheia – sem essa força, a superfície do líquido teria que ser completamente horizontal. Quanto mais estreito for o recipiente, mais alto um líquido pode subir contra a força da gravidade. E, de fato, o sistema condutor de água das árvores frondosas é bem estreito: mede apenas pouco mais de 0,5 milímetro. No caso das coníferas, o diâmetro é ainda menor e pode chegar a 0,02 milímetro. No entanto, isso não basta para explicar como a água alcança a copa a mais de 100 metros de altura, pois, mesmo nos tubos mais finos, a capilaridade faz o líquido subir no máximo 1 metro.[20]

A segunda parte da resposta leva à transpiração. Em meados do verão, as folhas e agulhas transpiram; a faia adulta pode transpirar muitas centenas de litros de vapor d'água por dia. Esse fenômeno produz uma sucção que puxa um suprimento constante de água para cima pelos sistemas condutores da árvore. Ele funciona enquanto a coluna de vapor d'água for produzida de maneira contínua. As moléculas se ligam umas às outras enfileiradas e, quando as folhas abrem espaço para a transpiração, se puxam mutuamente um pouquinho para cima pelos sistemas internos.

No entanto, como essa medida não é suficiente, a osmose também entra em cena. Se a concentração de açúcar em uma célula for maior do que a da vizinha, a água fluirá através das paredes, indo da solução menos doce para a mais doce até que as duas estejam com o mesmo percentual. Se esse processo ocorre de célula em célula até a copa, a água acaba subindo.

A pressão nas árvores é maior pouco antes de as folhas brotarem na primavera. Nessa época, a água sobe pelo tronco com tanta força que é possível ouvi-la com o auxílio de um estetoscópio. No noroeste dos Estados Unidos, é dessa forma que se faz a coleta de xarope do bordo, extraído durante o derretimento da neve. Só nesse momento é possível coletá-lo, pois a árvore não tem folhas nos galhos, portanto não é capaz de transpirar.

Com isso eliminamos a transpiração como uma das forças impulsionadoras, e as forças capilares também são descartadas por só conseguirem bombear até 1 metro de altura. De qualquer forma, nesse momento ocorre um bombeamento dentro do tronco. Ainda restaria a osmose, mas esta também me parece improvável, afinal só atua nas raízes e nas folhas, não no tronco, formado não por uma sequência enfileirada de células, mas por tubos longos e contínuos.

Dessa forma, não se conhece o mecanismo de transporte de água das árvores, porém um estudo recente descobriu algo que ao menos põe em cheque o efeito da transpiração e das forças de coesão da água (união de suas moléculas): cientistas de três institutos (Universidade de Berna; Instituto Federal de Pesquisa sobre Florestas, Neve e Paisagem; e Instituto Federal de Tecnologia em Zurique, todos na Suíça) realizaram um estudo mais profundo e registraram um leve chiado dentro das árvores, emitido sobretudo à noite, quando grande parte da água está no tronco, pois a copa deixa de realizar a fotossíntese e mal transpira. Nesse momento as árvores acumulam tanta água que o diâmetro de seus troncos chega a aumentar. A água fica praticamente parada nos condutores internos. Nada flui.

De onde vêm os ruídos? Os pesquisadores supõem que são resultantes de pequenas bolhas de dióxido de carbono (CO_2) que se formam nos tubos estreitos cheios d'água.[21] No entanto, se há bolhas nos condutores, isso significa que a via de água é interrompida milhares de vezes, e dessa forma a transpiração, a força de coesão e as forças capilares quase não conseguem contribuir para o transporte.

Portanto, muitas perguntas permanecem sem resposta. Talvez estejamos ainda mais distantes de uma explicação possível, porém mais perto de um novo mistério. De qualquer forma, ambas as hipóteses são intrigantes.

11. Sinais da idade

Antes de começar a falar da idade, quero falar rapidamente da "pele". Árvores e pele? Sim, vamos tratar do assunto da perspectiva humana. A pele é uma barreira que protege nosso interior do mundo exterior, retém líquidos, conserva os órgãos no corpo e expele e absorve gases e umidade. Além disso, bloqueia agentes patógenos que se disseminariam em nosso sistema circulatório. É sensível a toques, que podem ser agradáveis ou causar dor e, com isso, provocar uma reação defensiva. Ela não se mantém sempre firme, como na juventude, e com o passar do tempo essa complexa estrutura se torna cada vez mais flácida. Como resultado, surgem rugas e dobras, que "entregam" nossa idade aproximada.

Se olharmos com atenção, veremos que o necessário processo de renovação da pele não é nada prazeroso: por dia, cada pessoa perde cerca de 1,5 grama em escamas de pele. Em um ano, chega-se a mais de meio quilo. Mas a matemática pode ser ainda mais impressionante: por dia perdemos 10 bilhões de partículas de pele.[22] Não parece um processo muito atraente, mas ele é necessário para manter nosso órgão superficial em boas condições. E na infância é essencial para o crescimento, do contrário nossa vestimenta natural acabaria rasgando.

No caso das árvores, o processo é semelhante; a diferença fundamental é apenas terminológica: a pele delas se chama casca, mas cumpre exatamente a mesma função que tem a pele humana:

protege os órgãos internos do mundo exterior. Sem casca, a árvore ressecaria e poderia sofrer ataques de fungos, que na madeira úmida e saudável não têm chance alguma, mas podem destruir a madeira um pouco mais ressecada. Os insetos também precisam de níveis mais baixos de umidade, portanto não têm chance caso a casca esteja intacta. Percentualmente a árvore contém quase tanto líquido quanto o corpo humano, por isso não desperta o interesse de parasitas, que literalmente morreriam afogados. Ou seja: para a árvore, um buraco na casca é tão incômodo quanto um ferimento na nossa pele. Por isso ela se vale de mecanismos semelhantes aos nossos para curá-lo.

Por ano, um espécime repleto de seiva aumenta de 1,5 a 3 centímetros em diâmetro. Em tese isso bastaria para a casca se romper. Para evitar que isso aconteça, as árvores também renovam a pele perdendo uma enorme quantidade de escamas, que têm tamanho proporcional à estatura da árvore: medem até 20 centímetros. Se quiser vê-las, observe o chão ao pé de uma árvore depois de uma ventania e você encontrará esses restos (no caso dos pinheiros é fácil reconhecê-los por causa da casca avermelhada).

No entanto, nem toda árvore descasca da mesma forma. Algumas o fazem continuamente, enquanto outras perdem pouco material. Nesse caso, a casca dá sinais de como age cada espécime. Ela também serve para diferenciar as espécies. Em árvores jovens de qualquer espécie a cortiça é extremamente lisa. Quando elas envelhecem, as rugas começam a surgir de baixo para cima e se aprofundam com o passar do tempo. A velocidade do processo depende da espécie. Pinheiros, carvalhos, bétulas ou douglásias começam cedo, enquanto faias e abetos-brancos permanecem lisos por muito tempo. Tudo depende da velocidade de queda das escamas. No caso da faia, cuja casca acinzentada permanece lisa até os 200 anos, a taxa de renovação é muito alta. Por isso sua pele permanece fina, encaixa-se exatamente à idade (ou seja, seu diâmetro) e não precisa rachar para se expandir. O mesmo vale para o abeto-branco.

Por outro lado, pinheiros e outras coníferas demoram para renovar a pele, talvez porque essa couraça mais grossa aumente sua proteção. Demoram tanto a perder a casca que formam uma cortiça espessa, cujas camadas mais externas (as que foram criadas quando ela era jovem) permanecem por séculos. Com o tempo, o diâmetro do tronco aumenta e as camadas externas caem de fora para dentro, e só ao fim a árvore exibe seu verdadeiro diâmetro. Ou seja, quanto mais profundas as rugas, mais lenta é a espécie para realizar esse processo. Isso também vale para as faias, que, ao chegar à metade da vida, começam a mostrar fissuras na casca de baixo para cima. Como se quisesse exibir a ferida, a árvore começa a permitir a proliferação de musgo nas fendas, onde a água da chuva fica retida por mais tempo e proporciona a umidade necessária ao desenvolvimento do musgo. Dessa forma, para estimar a idade das matas de faias basta olhar para a cobertura verde nos troncos: quanto mais houver, mais antigas serão.

Árvores são indivíduos, e suas rugas variam. Muitos espécimes de uma mesma espécie apresentam essas marcas ainda jovens, enquanto outros demoram mais. Algumas faias da nossa reserva chegaram aos 100 anos com a cortiça já totalmente enrugada, o que só costuma acontecer aos 150. Nenhuma pesquisa determinou se isso só depende da genética ou se uma mudança drástica nas condições de vida exerce alguma influência. Mais uma vez as árvores exibem características humanas.

Os pinheiros da nossa floresta têm sulcos bastante profundos. Isso não pode ser resultante apenas da idade; eles têm idade estimada em 100 anos, ainda são jovens. Desde 1934, ano em que foi construída nossa cabana florestal, eles têm se desenvolvido bem. Parte das árvores do terreno foi derrubada para a construção da cabana, e desde então os pinheiros que restaram recebem mais luz. Mais luz, mais sol, mais raios ultravioleta (que envelhecem a pele humana e, ao que parece, a das árvores). Nesse sentido, é importante ressaltar que a cortiça do lado voltado para o sol é mais dura – portanto, menos flexível e mais propensa a descolamento.

No entanto, essas alterações também podem ser apenas "doenças de pele". Assim como na puberdade a acne podem causar cicatrizes permanentes, um ataque de piolhos de casca de árvore pode marcar o tronco de forma definitiva. Em sua superfície surgem milhares de furinhos e pústulas que não desaparecem mais. Os espécimes mais adoentados também desenvolvem ferimentos purulentos, úmidos, dos quais escorre uma secreção preta e infestada de bactérias. Não é apenas no ser humanos que a pele é um espelho da alma (ou do bem-estar).

Árvores antigas podem realizar outra função especial para o ecossistema da floresta. No entanto, na Europa Central não existem mais florestas ancestrais – a idade da mata mais antiga está entre 200 e 300 anos. Até essas reservas se tornarem florestas ancestrais, precisaremos olhar para a costa ocidental do Canadá a fim de compreender o verdadeiro papel de árvores antigas. Lá, a Dra. Zoë Lindo, da Universidade McGill, em Montreal, pesquisou a *Picea sitchensis*, espécie de abeto, com idade mínima de 500 anos. Como resultado, encontrou grandes quantidades de musgo nos galhos e nas forquilhas dos espécimes idosos. O musgo havia sido colonizado por cianobactérias, que captavam nitrogênio do ar e o convertiam para que as árvores pudessem absorvê-lo. A chuva leva fertilizante natural pelo tronco até o solo e o põe à disposição das raízes. Dessa forma as árvores antigas fertilizam a floresta e, com isso, ajudam a prole a ter um começo de vida mais auspicioso. E, apesar do contato, a prole não acumula musgo, que cresce muito devagar e só se instala na árvore depois de décadas.[23]

Além das rugas e do crescimento de musgo, outras alterações físicas mostram a idade das árvores. Por exemplo, na copa: dependendo da espécie, entre os 100 e os 300 anos os brotos começam a nascer mais curtos e em quantidade cada vez menor, e a copa acaba "careca". Em árvores frondosas, a sobreposição desses brotos provoca o crescimento de galhos curvados como garras, que lembram mãos reumáticas.

No caso das coníferas, o tronco reto termina em brotos altos que desaparecem aos poucos. Enquanto o topo do abeto para de crescer, o do abeto-branco cresce em largura, como se um pássaro tivesse construído seu ninho ali. O pinheiro também cresce para o lado na parte superior do tronco, mas começa o processo mais cedo. Assim, quando idosas, a copa das coníferas é larga e sua ponta não é identificável.

De qualquer forma, em algum momento toda árvore para de crescer em altura. Suas raízes e seu sistema vascular não conseguem bombear água e nutrientes para cima, pois o esforço seria grande demais. Em vez disso, ela passa a engrossar cada vez mais (outro paralelo com seres humanos em idade avançada). No entanto, ela não é capaz de manter a altura por muito tempo, porque ao longo dos anos vai perdendo a força e, com isso, não consegue mais alimentar os galhos mais altos, que começam a morrer. Então, como os idosos humanos, as árvores vão perdendo altura. As tempestades levam os galhos mortos da copa e, depois dessa limpeza, por um período curto, a árvore volta a parecer nova. Esse processo se repete todo ano, diminuindo a copa de forma quase imperceptível. Quando todos os galhos superiores caem, restam os mais grossos. Eles também morrem, mas não caem com tanta facilidade. Nesse estágio, a árvore já não é mais capaz de esconder sua idade avançada nem sua decadência.

Nesse período, talvez até antes, sua casca volta a chamar atenção, pois seus ferimentos pequenos e úmidos se transformam em porta de entrada para fungos, que "comemoram" sua vitória produzindo frutos exuberantes em formato de semicírculo que se aderem ao tronco e crescem ano após ano. No interior da árvore, os fungos atravessam todas as barreiras e alcançam o núcleo da madeira. Ali, dependendo da espécie, devoram os compostos de açúcar depositados ou, pior, a celulose e a lignina. Com isso, decompõem o esqueleto da árvore, que, apesar disso, se defende bravamente durante muitas décadas. Nas laterais dos ferimentos cada vez maiores, ela forma madeira nova e cria protuberâncias, numa tentativa de proporcionar equilíbrio a esse ponto do tronco.

Por um tempo, isso ajuda a árvore em deterioração a aguentar as fortes tempestades de inverno. No entanto, chega o dia em que o tronco quebra e a árvore morre. "Finalmente", parecem dizer as árvores jovens e esperançosas, que nos anos seguintes começarão a crescer ao lado do toco da árvore caída, que mesmo morta tem uma função na floresta, pois seu cadáver em putrefação ainda desempenhará um papel importante no ecossistema durante séculos. Falaremos disso adiante.

12. O carvalho: um bobo?

Quando passeio pela nossa reserva, sempre vejo carvalhos doentes, às vezes sofrendo bastante. Um sinal claro são os "galhos ladrões" que nascem em volta do tronco e em geral ressecam rapidamente. Eles mostram que a árvore se encontra em uma longa batalha pela vida e entrou em pânico. Essa tentativa de crescer tão abaixo da copa não tem sentido, pois o carvalho é uma árvore que precisa de muita luz para realizar a fotossíntese. Nas partes mais baixas, os galhos não obtêm a energia de que precisam, então secam depressa.

Uma árvore saudável prefere estender a copa a investir na formação desses galhos – pelo menos é o que acontece em momentos tranquilos. Mas os carvalhos das florestas da Europa Central passam por dificuldades, pois essa é a terra natal da faia, espécie de árvore socialmente bem desenvolvida, porém apenas ao lidar com outras da mesma espécie. Árvores de espécies diferentes são fortemente reprimidas por ela até definharem.

O processo começa de forma lenta e inofensiva: um gaio enterra um fruto de faia aos pés de um poderoso carvalho. Como o fruto tem reservas de nutrientes, permanece inativo e germina na primavera seguinte. A partir daí cresce lenta e sorrateiramente durante muitas décadas. Embora sinta falta da árvore-mãe, pelo menos a jovem faia conta com a sombra do carvalho, que contribui para que a muda cresça devagar e com saúde.

Apesar de parecer harmônica acima da terra, no subterrâneo a relação entre as duas espécies diferentes é de batalha pela vida. As raízes da faia ocupam cada espaço não utilizado pelo carvalho, infiltra-se em seu tronco e puxa água e nutrientes. Aos poucos isso enfraquece a árvore adulta. Depois de 150 anos, a faia cresceu tanto que aos poucos entremeia a copa do carvalho. Em algumas décadas, ultrapassa-a, pois, ao contrário do carvalho, a faia é capaz de ampliar a copa e crescer praticamente a vida inteira.

A essa altura as folhas da faia já recebem luz direta do sol, e a árvore absorve uma quantidade grande de energia e pode se alargar. Forma uma copa exuberante, que capta 97% da luz do sol, algo comum para a espécie. O carvalho fica em segundo plano, abaixo da faia, onde suas folhas buscam em vão a luz. Sua produção de açúcar diminui de maneira drástica, as reservas são exauridas e, aos poucos, a árvore morre de fome. Ela percebe que nunca mais conseguirá formar brotos longos, que não é mais capaz de fazer frente à forte concorrência e não ultrapassará a faia.

Desesperado, talvez até em pânico, o carvalho toma uma atitude que vai contra todas as regras de etiqueta da floresta: forma galhos e folhas na parte inferior do tronco. Essas folhas são especialmente grandes e macias, sobrevivem com menos luz do que as da copa. Ainda assim, os 3% que chegam a elas são insuficientes. Os galhos secam, e a valiosa energia restante da árvore é gasta inutilmente. Nesse estágio de fome, o carvalho ainda resiste por algumas décadas, mas em dado momento desiste. Suas forças se esgotam, e às vezes besouros da família dos buprestídeos depositam seus ovos na casca da árvore e encurtam o processo. Quando as larvas nascem, devoram a pele da árvore indefesa e a matam.

Então, como uma árvore tão fraca se transformou num símbolo de força e longevidade? Na maioria das florestas o carvalho de fato é subjugado pela faia, mas quando não tem concorrência ele é muito bem-sucedido – por exemplo, em espaços abertos, mais especificamente em terras cultivadas. Nesse ambiente modificado pelo homem, longe da acolhedora atmosfera da floresta, a faia mal alcança os 200 anos, ao passo que o carvalho ultrapassa os 500 anos sem dificuldade, por exemplo, ao lado de casas de fazenda ou em campo aberto.

Uma ferida profunda no tronco ou uma fenda aberta por um raio não prejudicam um carvalho, pois sua madeira é permeada de substâncias inibidoras de fungos, os taninos, que inibem o processo de decomposição e repelem a maioria dos insetos. Além disso, esse meio de defesa tem um efeito colateral para o homem: melhora o gosto do vinho armazenado em barris. Mesmo carvalhos muito danificados, com galhos principais quebrados, conseguem reconstruir a copa e sobreviver por alguns séculos, algo impossível para a maioria das faias, sobretudo para os espécimes que vivem fora das florestas e longe de sua comunidade. Quando atingida por uma tempestade, a faia sobrevive no máximo mais algumas décadas.

Na nossa reserva o carvalho também prova como é extremamente resistente a condições inóspitas. Em uma encosta voltada para o sul, algumas árvores se agarraram às rochas nuas com suas raízes. Quando o calor do verão esquenta as rochas a ponto de ficar insuportável, a pouca água do local evapora. No inverno, a geada penetra fundo, pois ali não existe a proteção de uma camada grossa de terra forrada por uma cobertura alta de folhas em decomposição. As folhas são levadas ao menor vento, e só alguns poucos líquenes se acomodam nas rochas, mas não isolam a árvore de temperaturas extremas.

Como resultado, com um século de vida as pequenas árvores têm o diâmetro de um braço e no máximo 5 metros de altura. Enquanto os carvalhos que vivem na floresta já ultrapassaram

30 metros e formaram troncos robustos, as árvores da encosta sobrevivem modestamente e se satisfazem com o status de arbustos. Se vivessem privações tão extremas, outras espécies já teriam desistido há muito tempo.

Por outro lado, esses carvalhos não precisam se preocupar com a concorrência de outras espécies de árvores. Ou seja, viver nessa localização inóspita também traz suas vantagens. Além disso, o córtex grosso do carvalho é nitidamente bem mais robusto que a pele lisa e fina da faia e o defende de inimigos externos. Podemos dizer então que o carvalho é uma espécie poderosa.

13. Especialistas

As árvores podem crescer em ambientes extremos. Na verdade, podem não ter alternativa, pois, quando a semente cai, somente o vento e algum animal podem mudar sua localização. Quando germina na primavera, sua sorte está lançada. A partir de então, a muda está ligada para o resto da vida àquele pedaço de terra e precisará aceitá-lo.

Para a maioria das árvores jovens, a vida começa com uma série de desafios. Uma cerejeira, espécie ávida por luz, pode nascer num local escuro demais – por exemplo, embaixo de uma faia adulta. Ou a própria faia pode germinar num local desprotegido, claro demais, e ter sua folhagem sensível queimada pelo sol escaldante. O solo pantanoso causa a decomposição da raiz da maioria das espécies, enquanto a areia seca a mata de sede. Entre os piores lugares para brotar estão os terrenos sem solo nutritivo, como os rochedos ou mesmo as forquilhas de árvores grandes.

Às vezes elas têm sorte no começo da vida, mas isso não dura muito tempo. Acontece, por exemplo, quando a semente cai no toco de um tronco quebrado e germina, enterrando as raízes na madeira podre da árvore morta. No primeiro verão extraordinariamente seco, a pouca umidade que restava na madeira morta do toco evapora, e o broto seca.

Para muitas espécies europeias os critérios de localização ideal são iguais – um solo rico em nutrientes, arenoso e com muitos metros de profundidade. Também deve ser bem úmido, sobretudo no verão. Não pode esquentar demais no verão nem esfriar demais no inverno. A precipitação de neve deve ser apenas moderada, mas em quantidade que encharque o solo ao derreter. As tempestades de outono devem ser atenuadas por uma encosta de montanha, e a floresta não deve ter muitos fungos e insetos que ataquem a casca e a madeira.

Esse seria o paraíso das árvores. Mas, exceto por pequenas extensões de terra, essas condições ideais não existem. Por outro lado, isso é bom para a diversidade de espécies, pois atualmente na Europa Central a concorrência nesses paraísos seria vencida quase exclusivamente pela faia. Ela sabe aproveitar muito bem a grande quantidade de recursos e elimina qualquer rival crescendo por entre as copas e em seguida estendendo seus galhos superiores sobre os da perdedora. A espécie que quiser encontrar seu nicho ecológico junto da faia precisará se privar de algo. Uma alternativa é sair de perto dela, mas qualquer coisa diferente desse paraíso das árvores significa dificuldades, pois a maioria dos hábitats do planeta não oferece condições ideais.

As árvores têm dificuldade em prosperar em muitos terrenos, por isso quem se adapta a eles pode conquistar uma enorme zona de expansão. É o que faz o abeto, que consegue prosperar em qualquer lugar onde os verões sejam curtos, e os invernos, inclementes – por exemplo, em regiões bastante setentrionais, nas montanhas ou à margem de florestas. Como o período de desenvolvimento das plantas na Sibéria, no Canadá e na Escandinávia costuma durar poucas semanas, a faia não conseguiria aprontar seus brotos antes do fim da estação, e o inverno é tão rigoroso que eles congelariam.

Nas agulhas e na casca o abeto armazena óleos essenciais que evitam o congelamento. Com isso, não precisa abrir mão de sua decoração verde e a mantém durante o inverno. Assim que a temperatura aumenta na primavera, o abeto pode começar a realizar a fotossíntese. Ele aproveita todos os dias de sol e, mesmo com poucas semanas para produzir açúcar e madeira, consegue crescer alguns centímetros todo ano.

No entanto, a estratégia de manter as agulhas no inverno é extremamente arriscada, pois elas acumulam neve e ficam tão pesadas que a árvore pode quebrar. Para evitar isso, o abeto conta com duas estratégias. A primeira é formar um tronco absolutamente reto, que evita a perda de equilíbrio. A segunda é mudar a angulação dos galhos. No verão, eles ficam na horizontal. No inverno, quando a neve se deposita nos galhos, eles vão se inclinando para baixo, até ficarem uns sobre os outros, como telhas. Assim, apoiam-se mutuamente. Visto de cima, seu diâmetro diminui bastante, e a maior parte da neve cai em volta da árvore, não nela. Em áreas de maior altitude, onde neva muito, ou em regiões distantes do trópico, o abeto também forma uma copa estreita e alongada, com galhos pequenos, o que intensifica esse efeito.

Contudo, as agulhas do abeto trazem outra desvantagem: aumentam a superfície de contato da árvore com o vento. Nas tempestades de inverno os abetos podem cair com facilidade. E contra isso sua única proteção é o fato de crescerem extremamente devagar: a chance de estatística de queda cresce muito para espécimes com mais de 25 metros de altura, por isso é comum ver abetos centenários com menos de 10 metros.

Na Europa Central as florestas ancestrais eram dominadas quase exclusivamente pelas faias, que permitem pouca passagem de luz para o solo. O teixo – espécie paciente que sobrevive a privações – decidiu extrair o máximo dessas condições. Como sabe que as faias sugam toda a água que encontram, ele se especializou nos níveis inferiores da floresta, onde vive com os 3% de luz que as faias deixam passar por entre suas folhas.

Nessas condições, é comum que o teixo demore até um século inteiro para alcançar alguns metros de altura e, com isso, a maturidade sexual. Nesse período, muita coisa pode acontecer: suas folhas podem ser devoradas por herbívoros, o que pode levá-lo a retroceder décadas, ou, pior, uma faia pode morrer e, na queda do tronco, destruir o teixo.

Mas o teixo não só é resistente como precavido. Desde que nasce, investe mais energia na ampliação de suas raízes do que qualquer outra espécie. Ali armazena nutrientes e, se surge algum problema acima do solo, ele volta a crescer com vigor. Muitas vezes isso causa a formação de vários troncos, que podem se unir e dar à árvore uma aparência desmazelada. Além disso, o teixo vive mais do que a maioria das espécies concorrentes: pode passar dos mil anos. Por isso, é comum que ao longo dos séculos uma árvore próxima morra e ele fique ao sol. Mas mesmo assim o teixo não cresce mais de 20 metros.

O carpino, parente da bétula, tenta imitar o teixo, mas não consegue viver de maneira tão sóbria e precisa de um pouco mais de luz. Ele consegue viver sob as faias, mas nessa condição não se transforma em uma grande árvore. Raramente ultrapassa 20 metros, e isso só acontece quando se encontra sob árvores que permitem a passagem de luz, como o carvalho. Nesse caso, tem liberdade para se desenvolver, e, desde que não invada o terreno de carvalhos maiores, haverá lugar suficiente para ambas as espécies. No entanto, muitas vezes surge uma faia perto das duas espécies, e ela cresce e ultrapassa até o carvalho. Nesse caso o carpino leva vantagem porque, além de muita sombra, suporta seca e calor. Nas superfícies secas voltadas para o sul, o carpino tem chance de sair vitorioso dessa batalha.

A raiz da maioria das espécies não tolera um terreno pantanoso, de água parada e pobre em oxigênio, e é essa a situação de áreas de mananciais ou ao longo de riachos, que geralmente têm planícies de inundação submersas. Caso um fruto da faia se perca e germine numa área assim, é até possível que se transforme em uma árvore imponente. No entanto ela cairá na primeira tempestade de verão, pois suas raízes em decomposição não encontrarão nenhum ponto de apoio para o tronco. Abetos, pinheiros, carpinos e bétulas passam por dificuldades parecidas em locais de água parada, mesmo que suas raízes não estejam sempre submersas.

Já com o amieiro a situação é diferente. Crescem até 30 metros e não ficam tão grandes quanto as concorrentes, mas vivem bem no ingrato solo pantanoso. Seu segredo é um sistema de dutos de ventilação nas raízes. Eles transportam o oxigênio até as extremidades da raiz, como um mergulhador que respira por um tubo que se estende até a superfície. Além disso, na área inferior do tronco, o amieiro conta com uma cortiça, que possibilita a entrada de ar na árvore. Somente quando o nível de água tapa essas aberturas respiratórias por muito tempo é que o amieiro pode enfraquecer a ponto de suas raízes serem atacadas por fungos.

14. É árvore mesmo?

O que é exatamente uma árvore? Segundo o dicionário, é um vegetal lenhoso de caule principal ereto e indiviso (o tronco). Ou seja, o broto principal precisa ser dominante e crescer continuamente para cima, do contrário a planta é considerada um arbusto, com diversos troncos curtos ou finos (galhos) a partir de um talo de raiz. E quanto ao tamanho?

Sempre me incomodo quando leio relatórios sobre florestas mediterrâneas que parecem descrever uma região tomada por arbustos. Afinal, as árvores são seres majestosos que nos fazem parecer formigas. No entanto, em minhas viagens à Lapônia, encontrei espécimes bem diferentes dessa descrição que me fizeram parecer um gigante. São árvores-anãs da tundra, que muitos pisoteiam sem se dar conta. Às vezes, não medem mais de 20 centímetros após 100 anos. A ciência não as considera árvores, e o mesmo acontece com a *Betula humilis*, espécie de bétula que forma troncos de até 3 metros cuja média fica na altura dos olhos. No entanto, pelo mesmo parâmetro, espécimes pequenos de faias ou tramazeiras também não poderiam ser considerados árvores. Além disso, mamíferos grandes, como cervos e corças, as destroem com tanta frequência que, por décadas, elas crescem como arbustos, com muitos troncos e, no máximo, 50 centímetros de altura.

E o que acontece quando a árvore é serrada? Ela morre? Deixa de ser uma árvore? O que acontece com um toco de centenas de anos mantido vivo por suas camaradas, como o que encontrei na reserva? Ele é uma árvore? Se não é árvore, o que é? A situação complica ainda mais quando desse toco surge um novo tronco. Isso é comum em muitas florestas, pois séculos atrás as árvores frondosas foram cortadas por carvoeiros. Dos tocos cresceram novos troncos, que formam a base de muitas das florestas atuais.

É bastante comum que matas de carvalhos e de carpinos se originem desse tipo de desmatamento. Nesses casos, o ciclo de corte e regeneração foi repetido várias vezes ao longo de poucas décadas, de forma que as árvores não puderam crescer e envelhecer. Antigamente a população fazia isso porque era pobre e não podia se dar ao luxo de esperar muito por madeira nova. Basta passear por uma floresta europeia para ver os resquícios dessa prática: árvores com diversos troncos que mais parecem arbustos ou calosidades aos pés do tronco, em consequência do corte periódico da árvore.

Afinal, esses troncos são árvores jovens ou milenares? Cientistas pesquisaram abetos ancestrais no condado sueco de Dalarna. O mais velho tinha formado uma espécie de arbusto plano que cercava um único tronco curto. Toda a estrutura formava apenas uma árvore, que teve a madeira da raiz estudada com o método de datação por carbono-14 (C_{14}), um carbono radioativo que se forma na atmosfera e se decompõe lentamente, mantendo sempre a mesma proporção para o carbono restante na atmosfera.

Quando o C_{14} se liga a biomassas inativas (matéria orgânica sobretudo de origem vegetal usada como combustível, como é o caso da madeira), a decomposição continua, mas nenhum novo carbono radioativo é absorvido. Assim, quanto menos carbono houver no tecido, mais velho ele será. O resultado da pesquisa dos abetos é simplesmente incrível: 9.550 anos. Os troncos em si eram mais jovens, mas os galhos novos dos últimos séculos não foram considerados árvores, mas, sim, parte do todo.[24] Na minha opinião, isso é justo, pois certamente a raiz foi mais decisiva para esse resultado do que os brotos que crescem acima do solo. Afinal, ela é responsável pela sobrevivência do organismo, resistiu a fortes mudanças climáticas e fez brotarem mais e mais novos troncos. Nela se acumulam milênios de experiência que possibilitaram sua sobrevivência.

O abeto derrubou muitas teorias científicas. Primeiro porque ninguém sabia que ele vivia mais de 500 anos; segundo porque se acreditava que ele havia chegado ao norte da Suécia apenas 2 mil anos após o recuo dos glaciares. Considero essa árvore discreta um símbolo de como desconhecemos as florestas e as árvores e de quantas maravilhas elas ainda guardam.

Voltando à questão da raiz, ela é a parte mais importante da árvore, onde possivelmente se situa algo como o cérebro. Seria exagero pensar que árvores têm cérebro? Talvez, mas, sabendo que as árvores são capazes de aprender e, portanto, armazenar experiências, é preciso haver no organismo um local para guardar informações. Não se sabe que lugar é esse, mas as raízes seriam as mais adequadas, pois os antigos abetos na Suécia mostram que a parte subterrânea da árvore é a mais duradoura. Assim, onde mais ela poderia armazenar informações importantes a longo prazo?

Até pouco tempo atrás tínhamos certeza de que a raiz controlava toda a árvore por meio da atividade química. Essa informação não está totalmente equivocada, porém muitos processos também são regulados por substâncias semiquímicas (que resultam de duas etapas, a primeira com o uso de um agente químico e a segunda com ação mecânica). As raízes funcionam como uma via de mão dupla: absorvem substâncias e as enviam para a árvore, e ao mesmo tempo mandam os produtos da fotossíntese para os fungos parceiros e até sinais de alerta para as árvores vizinhas.

Para haver algo que reconheçamos como um cérebro, é necessário haver processos neurológicos, e, para isso, é preciso haver não só substâncias semiquímicas, mas também impulsos elétricos. Acontece que desde o século XIX detectamos a presença deles nas árvores. Em meio a esse cenário, uma briga ferrenha se arrasta há muitos anos e divide os cientistas. As plantas pensam? František Baluška, do Instituto de Botânica Celular e Molecular da Universidade de Bonn, juntamente com seus colegas, acredita que as pontas das raízes têm estruturas semelhantes ao cérebro: além de conduzirem impulsos elétricos, contêm sistemas e moléculas muito parecidos com os encontrados em animais.[25] Quando as raízes avançam no solo, podem absorver estímulos. Os pesquisadores mediram impulsos elétricos que causaram mudanças comportamentais após serem processados em uma "zona de transição". Quando as raízes encontram substâncias tóxicas, rochas impenetráveis ou áreas úmidas demais, analisam a situação e repassam as mudanças necessárias à zona de crescimento da raiz, que muda de direção e se afasta dessas áreas críticas.

Atualmente a maioria dos botânicos se mostra cética sobre a existência de um local de processamento de inteligência, memória e emoções, mesmo levando em conta esse comportamento. Entre outras coisas, irritam-se com a simples transposição das descobertas de situações semelhantes em pesquisas com animais e temem que isso ameace os limites entre os reinos vegetal e animal. Mas o que haveria de tão ruim nisso? Afinal, a distinção entre planta e animal é arbitrária e se baseia na forma como o organismo se alimenta: enquanto uma realiza fotossíntese, o outro come seres vivos. No fim das contas, a única diferença além dessa diz respeito ao tempo de processamento de informações e sua conversão em ações. Mas isso basta para considerarmos os seres lentos menos valiosos do que os rápidos? Às vezes imagino que teríamos mais consideração pelas árvores e por outros vegetais se tivéssemos certeza de que em muitos aspectos eles são semelhantes aos animais.

15. No reino da escuridão

Para nós o subsolo é ainda mais desconhecido que o mar. Embora saibamos menos sobre o fundo do oceano do que sobre a superfície da Lua,[26] nossas informações sobre a vida debaixo da terra são ainda mais escassas. Já descobrimos muitas espécies e fatos que originaram bastante material, mas não passa de uma fração mínima em relação à diversidade debaixo dos nossos pés.

Até metade da biomassa de uma floresta se encontra no subsolo, e a maioria dos seres vivos que habitam essa área não pode ser vista a olho nu. Provavelmente por isso não despertam nosso interesse na mesma medida em que, por exemplo, um lobo, um pica-pau ou uma salamandra. Ainda assim, possivelmente são muito mais importantes para as árvores. Uma floresta poderia simplesmente abrir mão dos habitantes de grande porte. Cervos, corças, javalis, animais de rapina e até grande parte dos pássaros não fariam tanta falta ao ecossistema. Mesmo se todos desaparecessem ao mesmo tempo, a floresta continuaria crescendo sem grandes percalços. No entanto, se os seres subterrâneos desaparecessem, a situação seria outra.

Em um punhado de terra de floresta existem mais seres vivos do que o total de seres humanos no planeta. Uma colher de chá contém mais de 1 quilômetro de filamentos de fungos. Todos esses seres trabalham e transformam o solo, tornando-o valioso para as árvores.

Antes de nos atermos a algumas dessas criaturas, vamos voltar ao início da formação do solo. Sem solo não há matas e florestas, pois as árvores precisam se enraizar em algum lugar. As rochas nuas não seriam suficientes, e o cascalho solto até poderia oferecer suporte para as raízes, mas não armazenaria água e nutrientes suficientes para ela. Os processos geológicos (como a Era do Gelo e suas temperaturas extremamente frias) quebraram as pedras, e as geleiras as moeram até virarem areia e pó, de forma que, ao fim, restou um substrato básico solto. Com o derretimento do gelo, a água levou esse material para depressões e vales, ou ele foi arrastado por tempestades e depositado em camadas de muitos metros de espessura.

Tempos depois, a vida surgiu na forma de bactérias, fungos e plantas, que se transformavam em húmus ao morrer. No decorrer dos milênios, as árvores colonizaram esse solo – que só agora pode ser chamado assim – e o tornaram cada vez mais rico. Suas raízes fixaram o solo e o protegeram de chuvas e tempestades, evitando a erosão, um dos maiores inimigos da floresta. Com isso, as camadas de húmus continuaram crescendo e formaram os precursores do linhito (carvão fóssil rico em detritos vegetais).

A erosão é um dos maiores inimigos naturais da floresta. O terreno perde solo sempre que há acontecimentos extremos, sobretudo tempestades. Se o solo florestal não consegue absorver toda a água de imediato, a que sobra escorre pela terra e arrasta partículas, o que é possível observar na época de chuvas: quando a água fica turva e marrom, está carregando um solo valioso.

Em um ano, esse processo pode carregar até 10 mil toneladas de terra por quilômetro quadrado de superfície. Por outro lado, os processos de decomposição formam apenas 100 toneladas a partir das pedras situadas no subterrâneo. Isso provoca uma enorme perda de volume do terreno, até chegar o dia em que sobra apenas cascalho. Atualmente é fácil encontrar áreas formadas por esses solos empobrecidos em muitos pontos das florestas, que, mesmo assim, há séculos vêm sendo usados para a agricultura. No entanto, se a floresta fosse mantida intacta, perderia apenas entre 0,4 e 5 quilômetros quadrados por ano. Com o passar do tempo, o subsolo ficaria cada vez mais rico, proporcionando condições cada vez melhores para o desenvolvimento das árvores.[27]

É nesse ponto que entram os animais que habitam o subsolo, que são fundamentais, mas não são muito bonitos. Além disso, a maioria das espécies não é visível a olho nu, e quando vistos ao microscópio a situação só piora: ácaros, colêmbolos e poliquetas não são tão simpáticos quanto orangotangos ou jubartes. Na floresta, esses seres ínfimos e estranhos formam a base da cadeia alimentar e podem ser considerados o plâncton terrestre. Infelizmente, os pesquisadores não se interessam muito por milhares de espécies descobertas, que têm nomes científicos impronunciáveis em latim. Inúmeras outras esperam em vão que alguém as descubra. Mas talvez isto seja reconfortante: ainda há muitos segredos por descobrir nas florestas próximas da sua casa. Vamos examinar alguns dos poucos que já foram revelados.

Conhecemos mais de mil espécies de oribatídeos, família de ácaros que medem menos de 1 milímetro e parecem aranhas beges e marrons com pernas curtas, por isso se disfarçam bem no solo, seu hábitat natural. Basta ler a palavra ácaro para fazermos associações com os ácaros domésticos, que se alimentam de escamas de pele e outros dejetos e provocam alergias em algumas pessoas. E a verdade é que pelo menos parte desses ácaros produz um efeito semelhante nas árvores. As folhas e os pedaços de casca caídos formariam pilhas de alguns metros de altura se um exército de criaturas milimétricas e famintas que vivem na folhagem caída no solo não os devorasse com avidez.

Outras espécies de ácaros se especializaram em fungos. Movimentam-se por pequenos túneis no subsolo e se alimentam dos sumos produzidos pelos filamentos finos e brancos dos fungos. Em último caso, alimentam-se do açúcar das árvores, os quais também compartilham com os fungos parceiros. Seja madeira em decomposição ou caracóis mortos, não há nada que não sirva de alimento para pelo menos uma espécie de ácaro, criatura imprescindível para o ecossistema, pois vive na interseção entre o nascimento e a morte.

Há também o caso do gorgulho, um besouro que lembra um elefante minúsculo sem as orelhas. Os gorgulhos estão entre as famílias de insetos com mais espécies em todo o mundo – só na Europa, são cerca de 1.400. O gorgulho não usa as plantas para absorver nutrientes, mas para proteger a prole. Com a ajuda de seu longo chifre, abre pequenos buracos nas folhas e nos talos, nos quais bota seus ovos. Protegidas de predadores, as larvas podem abrir pequenos dutos nas plantas e crescer com segurança.[28]

Algumas espécies de gorgulho, em sua maioria habitantes do solo, perderam a capacidade de voar, pois se acostumaram ao ritmo lento das árvores e à sua existência quase eterna. Ao longo de um ano inteiro se locomovem no máximo 10 metros, e não é necessário mais que isso. Quando a árvore morre e o ambiente se transforma a seu redor, o gorgulho só precisa se mudar para a árvore ao lado, onde continuará se alimentando da folhagem em deterioração. Quando encontramos esses insetos em uma floresta, já sabemos que ela é antiga e tem um histórico ininterrupto. Se a floresta foi desmatada na Idade Média e replantada depois, não encontramos essa espécie de besouro, pois o caminho até a floresta mais próxima seria longo demais para eles.

Todos os animais que mencionei têm algo em comum: são muito pequenos, por isso têm um raio de ação extremamente limitado. Em florestas grandes e ancestrais que no passado cobriam a Europa Central, isso não tinha importância, mas hoje grande parte das florestas foi alterada pelo homem. Abetos em vez de faias, douglásias no lugar de carvalhos, árvores jovens substituindo antigas: as novas florestas não agradam ao paladar dos animais, que morrem de fome.

No entanto, ainda existem florestas antigas de árvores frondosas, que servem de refúgio para eles e ainda contam com a diversidade de espécies do passado. Órgãos governamentais se esforçam para criar florestas de árvores frondosas, e não de coníferas. Mas, quando as poderosas faias voltarem a ocupar as terras hoje habitadas pelos abetos, como os ácaros e colêmbolos chegarão até elas? Certamente não a pé, pois ao longo da vida eles mal percorrem 1 metro de solo.

Existe a esperança de que um dia possamos nos maravilhar com verdadeiras florestas ancestrais, ao menos nos parques nacionais como a Floresta Bávara. Pesquisas realizadas por universitários na nossa reserva apontaram que animais microscópicos ligados a florestas de coníferas conseguem percorrer distâncias surpreendentemente grandes. A prova são as antigas matas de abetos onde foram encontradas espécies de colêmbolos que se especializaram nesta conífera.

No entanto, os engenheiros florestais que trabalharam anteriormente nessa reserva plantaram essas matas em Hümmel há cerca de 100 anos; antes disso, as faias antigas predominavam na Europa Central. Como esses colêmbolos especializados em coníferas chegaram a Hümmel? Desconfio que talvez tenham sido transportados por pássaros, que os carregaram em suas penas. Como os pássaros gostam de rolar nas folhagens para limpar a plumagem, certamente alguns colêmbolos se penduraram nas penas e foram depositados na outra floresta. Se isso funcionou com os animais especializados em abetos, possivelmente funcionará com espécies especializadas em árvores frondosas.

No futuro, quando houver mais florestas antigas de frondosas que se desenvolvam livremente, os pássaros poderão ser os encarregados do reaparecimento dos inquilinos correspondentes em seu hábitat original. No entanto, isso pode demorar muito, como comprovam os últimos estudos nas cidades de Kiel e Luneburgo.[29] Há cerca de 100 anos foram plantadas matas de carvalhos na charneca de Luneburgo, onde antes havia uma plantação comercial. Segundo a hipótese dos cientistas, poucas décadas depois, a estrutura original de fungos e bactérias já deveria ter se restabelecido no solo. No entanto, ainda falta muito para isso acontecer – mesmo depois desse período relativamente longo, ainda existem grandes lacunas no inventário de espécies, e isso gera consequências graves para a floresta, pois os ciclos de crescimento e deterioração não funcionam da maneira correta.

Por outro lado, o solo ainda contém bastante nitrogênio dos antigos fertilizantes, por isso a floresta cresce mais rápido do que outras matas semelhantes em solo florestal antigo, mas é muito mais suscetível, por exemplo, à seca. Ninguém sabe quanto tempo demorará até que se forme um solo florestal autêntico, mas já se sabe que 100 anos não bastam.

Para que haja regeneração, são necessárias reservas com florestas originais, que não sofreram interferência humana. Nesse ambiente, a biodiversidade no solo pode perdurar e servir como célula germinal para a recuperação das regiões próximas, e não é preciso realizar nenhum grande sacrifício para que isso aconteça, como há anos vem provando a comunidade de Hümmel. Antigas matas de faia inteiras foram protegidas e demarcadas de forma diferente: parte é usada como floresta-cemitério, onde arrendamos as árvores como uma lápide viva para o enterro de urnas de cinzas. Tornar-se parte de uma floresta ancestral após a morte – não é uma ideia maravilhosa? Outra área da reserva é arrendada para empresas que contribuem para a preservação do meio ambiente. Dessa forma vale a pena abrir mão da exploração de madeira, e tanto o homem quanto a natureza saem ganhando.

16. Aspirador de CO_2

Em uma imagem muito simples e disseminada dos ciclos da natureza, as árvores são sinônimo de equilíbrio. Realizam a fotossíntese e produzem carboidratos, que usam para o próprio crescimento, e ao longo da vida armazenam até 20 toneladas de CO_2 no tronco, nos galhos e nas raízes. Quando morrem, é exatamente essa a quantidade de gases do efeito estufa liberada por fungos e bactérias que digerem e processam a madeira e em seguida exalam o gás. É nesse conceito que se baseia a afirmação de que a queima de madeira teria um efeito neutro na atmosfera, afinal, tanto faz se quem vai decompor a madeira são pequenos organismos – que vão transformá-la em gás – ou o fogo. Mas a floresta não funciona de forma tão simples. Na verdade, trata-se de um gigantesco aspirador de CO_2, que filtra e armazena continuamente esse componente do ar.

De fato, parte do CO_2 volta à atmosfera depois da morte da árvore, mas a maioria permanece no ecossistema. Aos poucos a madeira morta é devorada por diversas espécies, quebrada em pedaços cada vez menores e, com isso, centímetro a centímetro, processada a uma profundidade cada vez maior no solo. A chuva satura os restos orgânicos e cuida do restante. Quanto mais fundo no solo, mais baixa a temperatura, e quanto mais frio, mais lenta a vida se torna, até chegar ao ponto de quase estagnar por completo. Portanto o CO_2 ganha a forma final de húmus e aos poucos continua se enriquecendo. Num futuro muito distante, talvez se transforme em linhito ou carvão mineral.

As reservas dessa matéria-prima fóssil têm hoje cerca de 300 milhões de anos e também se originaram das árvores. Eram um pouco diferentes das espécies atuais, mas de tamanho semelhante ao das que vemos hoje (lembravam samambaias ou cavalinhas de 30 metros de altura e 2 metros de diâmetro). A maioria das árvores crescia em pântanos e, quando morria, caía no charco, onde seu tronco quase não se decompunha. No decorrer dos milênios, os troncos formaram camadas grossas de turfa, que mais tarde foram cobertas de cascalho. Com a pressão que sofreram desse peso, aos poucos se transformaram em carvão. Por isso, nas grandes usinas elétricas tradicionais, queimamos florestas fósseis. Não seria ótimo e sensato se, em vez disso, déssemos às árvores a chance de seguir o caminho de suas ancestrais? Com isso, poderiam recapturar uma parte do CO_2 e armazená-la no solo.

Atualmente quase não há formação de carvão, pois as florestas são constantemente desmatadas para a exploração madeireira. Com o caminho livre, os fortes raios do sol incidem sobre o solo e expulsam as espécies que ali vivem. Para fugir do calor, elas vão para o subsolo e consomem as últimas reservas de húmus também nessas camadas mais remotas. Como resultado, o gás eliminado sobe para a atmosfera.

Mesmo nessa situação adversa, basta um passeio pela floresta para vermos ao menos os estágios iniciais do processo de formação do carvão. Para isso, é preciso apenas cavar um pouco a terra até chegar a uma camada mais clara. Até aí, a parte mais superficial e escura é altamente enriquecida com carbono. Se deixássemos a floresta em paz, ela formaria carvão, gás ou petróleo. Esse processo continua acontecendo ininterruptamente nas grandes áreas de proteção, como as zonas centrais de parques nacionais.

Aliás, a escassez de camadas de húmus não é resultado apenas da exploração florestal dos dias de hoje: já no passado os romanos e celtas desmatavam florestas e interrompiam os processos naturais.

Mas será que para as árvores tem algum sentido se livrar de seu alimento preferido continuamente? E não são só as árvores que fazem isso: todas as plantas, inclusive as algas, filtram e armazenam o CO_2 da atmosfera. Quando a planta morre, o CO_2 afunda com ela na lama e forma ligações de carbono. Graças a esses restos mortais (e aos restos dos animais, como o calcário excretado pelos corais, um dos maiores depósitos de CO_2 do planeta), uma enorme quantidade de carbono foi retirado da atmosfera ao longo de centenas de milhões de anos. No período de surgimento dos maiores depósitos de carvão do planeta, a concentração de CO_2 era nove vezes superior aos valores atuais. Depois, as florestas antigas (entre outros fatores) reduziram dois terços dessa concentração, que ainda assim era o triplo da atual.[30]

Mas qual seria o limite das nossas florestas? Elas continuariam armazenando carbono indefinidamente até retirar todo o gás da atmosfera? Como vivemos numa sociedade consumista, essa pergunta já não tem mais importância, pois revertemos essa tendência enquanto esvaziamos todos os depósitos de carbono do planeta, queimando petróleo, gás e carvão na forma de carburantes e combustíveis e liberando-os no ar.

Deixando de lado a questão da mudança climática, seria vantajoso liberarmos para a atmosfera os gases de efeito estufa presos no subsolo? Eu não iria tão longe, mas o aumento da concentração de CO_2 na atmosfera funcionou como um fertilizante. As árvores têm crescido mais rápido, como comprovam os últimos documentos de análise florestal. As planilhas de estimativa da produção de madeira precisaram ser ajustadas, pois a biomassa cresce hoje 33% mais depressa do que crescia há poucas décadas.

Como isso aconteceu? Para a árvore, crescer lentamente é fundamental para alcançar a velhice. Acontece que esse crescimento impulsionado pela liberação e pelo aproveitamento do nitrogênio vindo da agricultura não é nada saudável. Assim, continua valendo a antiga regra: menos (CO_2) é mais (tempo de vida).

Na faculdade aprendi que as árvores jovens são mais saudáveis e crescem mais rápido que as velhas. Esse ensinamento ainda se aplica e deixa implícito que as florestas devem ser rejuvenescidas (ou seja, troncos antigos devem ser derrubados e substituídos por árvores jovens). Só dessa forma as florestas podem permanecer estáveis, produzir mais madeira e absorver mais CO_2 do ar. Dependendo da espécie, a energia empregada no crescimento começa a diminuir entre os 60 e os 120 anos – momento de ligar as máquinas de colheita da madeira. Será que o ideal da juventude eterna, tão controverso e discutido na nossa sociedade, foi simplesmente transferido para a floresta? Ao menos é essa a impressão, pois, se comparada aos padrões humanos, uma árvore de 120 anos seria adolescente.

No entanto, um estudo de uma equipe internacional de pesquisadores sugere que as hipóteses científicas que citei parecem ser completamente enganosas. Para chegar a essa conclusão, os cientistas avaliaram cerca de 700 mil árvores de todos os continentes. O resultado foi surpreendente: quanto mais velha a árvore, mais rápido ela cresce. Assim, árvores com 1 metro de diâmetro de tronco produziam três vezes mais biomassa do que espécimes que tinham apenas metade dessa largura.[31] Portanto, no caso das árvores, ser velha não significa ser fraca, curvada e frágil. Pelo contrário: as árvores idosas são eficientes e cheias de energia. São claramente mais produtivas que as jovens, além de importantes aliadas do homem na mudança climática. Assim, desde a publicação desse estudo, a técnica de rejuvenescimento das florestas para lhes dar vitalidade deve, no mínimo, ser considerada um erro. Quando muito, no que diz respeito à exploração da madeira, a partir de certa idade a árvore perde valor, pois os fungos começam a decompor o interior do tronco, mas isso não impede seu crescimento posterior. Se quisermos usar as florestas para combater a mudança climática, precisaremos deixá-las envelhecer, como exigem as grandes organizações de proteção à natureza.

17. Ar-condicionado de madeira

As árvores não gostam de oscilações extremas de temperatura e umidade, porém o clima não abre exceções nem para as plantas de maior porte. Mas será que é possível as árvores irem pelo caminho inverso e exercerem influência sobre a temperatura e a umidade locais?

Minha maior experiência nesse tema se deu em uma floresta próxima a Bamberg com solo arenoso, seco e pobre em nutrientes onde, segundo engenheiros florestais, só os pinheiros vingavam. No passado, para não criar uma monocultura, chegaram a plantar faias, que com sua folhagem supostamente reduziram a acidez das agulhas dos pinheiros para os animais do solo. Não se pensou no plantio de árvores frondosas para a produção de madeira – elas eram consideradas "árvores de serviço".

Mas as faias não quiseram assumir funções secundárias e depois de algumas décadas mostraram de que eram capazes. Com sua queda anual de folhas, criaram uma camada de húmus capaz de armazenar bastante água. Além disso, a floresta ficou cada vez mais úmida, pois as folhas das árvores em crescimento freavam o vento entre os troncos de pinheiros. Com isso, menos água passou a evaporar, o que fez as faias prosperarem cada vez mais e ultrapassarem os pinheiros. O chão da floresta e o microclima haviam mudado tanto que as condições ficaram mais propícias para árvores frondosas do que para as modestas coníferas. Essa transformação é um belo exemplo do que as árvores são capazes de fazer para mudar o ambiente. Isso é fácil de entender no que diz respeito à redução do vento, mas como fica o fornecimento de água? Acontece que, com essas mudanças, no verão o vento quente não consegue secar o solo florestal, pois ele está sempre à sombra e protegido.

Estudantes da Universidade RWTH Aachen descobriram a diferença de temperatura entre uma mata ensolarada de coníferas e uma antiga mata natural de faias dentro da nossa floresta. Em um dia quente de agosto (verão no hemisfério Norte) no qual o termômetro marcava 37ºC, o chão da floresta de frondosas estava cerca de 10 graus mais frio do que o da floresta de coníferas, a poucos quilômetros de distância. Esse resfriamento, que reduz a evaporação de água, é causado pelas sombras das frondosas, mas, sobretudo, pela biomassa da mata de faias.

Quanto mais madeira viva ou morta tem uma floresta, mais espessa é a camada de húmus do solo e mais água é armazenada. A evaporação leva ao resfriamento, que por sua vez reduz a evaporação. Podemos dizer que no verão uma floresta intacta pode suar e reproduzir o efeito do suor no homem. Para observar o suor das árvores, basta olhar para as que são plantadas perto de casas. Muitas vezes elas crescem demais e ficam maiores do que seus donos esperavam. Podem acabar se aproximando dos muros da casa, às vezes estendendo galhos sobre o telhado. Nesse ponto de aproximação surge algo parecido com manchas de suor na parede, que fica úmida a ponto de permitir que algas e musgo se instalem nas fachadas e telhas. Com isso a chuva não escorre tão bem, e os pedaços de musgo carregados pela água entopem as calhas. Com o passar dos anos, a massa da parede se esfarela com a umidade e precisa ser refeita antes do tempo normal.

Por outro lado, os motoristas que estacionam embaixo de árvores não precisam raspar a crosta de gelo no para-brisa quando o automóvel está a céu aberto. As árvores podem até causar prejuízo na parte exterior das construções, mas é fascinante a forma como abetos e outras espécies podem influenciar o microclima em seu entorno. Assim, vale perguntar: até que ponto uma floresta intacta poderia influenciar o clima local?

Quem sua muito precisa ingerir bastante líquido, e durante uma chuva forte é possível observar as árvores fazendo isso. Como a chuva pesada costuma vir acompanhada de uma ventania, não recomendo um passeio na floresta. Mas, se você estiver na rua durante um temporal, pode presenciar uma cena fascinante, na maioria das vezes proporcionada pelas faias. Em geral seus galhos são voltados para cima, algo comum entre as árvores frondosas. Mas durante a chuva elas se inclinam para baixo, pois sua copa serve para que as folhas captem não apenas a luz do sol, mas também água.

A chuva cai sobre centenas de milhares de folhas, e a umidade pinga sobre os galhos. A partir daí, a água corre para baixo ao longo dos galhos principais, onde pequenos filetes se juntam em uma corrente e escorrem pelo tronco, descendo tão rápido que produzem espuma ao chegar ao solo. Em uma tempestade, um espécime adulto de faia pode reter mais de mil litros de água, que graças à sua estrutura é conduzida até as raízes, onde fica armazenada no subsolo a seu redor e é usada nos períodos de seca.

As píceas e os abetos não têm essa capacidade. As píceas são mais astutas e conseguem se misturar às faias, e com isso têm acesso à água, mas os abetos geralmente vivem juntos, o que significa que passam sede. Sua copa funciona como um guarda-chuva, o que é bem prático para quem estiver passeando por perto durante uma precipitação. Se você for pego pela chuva e ficar debaixo de uma dessas espécies, quase não vai se molhar, o que também acaba valendo para as raízes da árvore. A água de uma precipitação de até 10 litros por metro quadrado (uma chuva forte) fica completamente retida nas agulhas e nos galhos e evapora assim que as nuvens somem. Com isso, a floresta perde essa valiosa umidade.

Os abetos simplesmente não aprenderam a se adaptar para enfrentar a falta d'água. Sua zona de conforto são as regiões frias, nas quais a água do solo quase não evapora por causa das baixas temperaturas. É o que se vê nos Alpes, pouco antes dos limites da floresta, onde as altas taxas de precipitação impedem a falta d'água. No entanto, lá ocorrem fortes nevascas, e por isso os galhos são perpendiculares ou levemente inclinados para baixo. Dessa forma, quando a neve se acumula, as árvores suportam mais peso se inclinando ainda mais para baixo e se apoiando umas nas outras. No entanto, essa estratégia impede que a água corra por elas, e, quando o abeto se localiza em zonas mais baixas e secas (onde não chove nem neva muito), essa vantagem usufruída no inverno não tem sentido.

Atualmente, grande parte das florestas de coníferas na Europa Central foi plantada, em locais que consideramos ideais. Nesses lugares, as árvores sofrem constantemente com a sede, pois sua estrutura de guarda-chuva retém apenas um terço da precipitação e a devolve à atmosfera. As florestas de frondosas retêm e devolvem menos chuva: 15% da precipitação – ou seja, elas obtêm 15% a mais de água que suas colegas coníferas (os cerca de 70% restantes das coníferas contra os 85% das frondosas).

18. Bomba-d'água

Como a água chega à floresta? Ou, fazendo uma pergunta ainda mais básica, como a água chega ao solo?

Por mais que a pergunta pareça simples, a princípio a resposta é complicada, pois uma das características básicas da terra é estar em uma altitude mais elevada que o mar. Pelo efeito da gravidade, a água sempre flui para o ponto mais baixo. Se essa fosse a única força atuando, os continentes ficariam completamente secos. No entanto, esse efeito é evitado pelas nuvens, que se formam sobre o mar, são empurradas para o continente pelo vento e fornecem um suprimento de água contínuo para regiões mais distantes da costa – mecanismo que só funciona até algumas centenas de quilômetros do mar. Quanto mais nos embrenhamos pela terra firme, mais seco é o clima, porque a precipitação ocorre antes de chegar ao interior.

A cerca de 600 quilômetros da costa o clima fica tão seco que surgem os primeiros desertos. Se dependêssemos apenas desse mecanismo, a vida só seria possível em uma faixa estreita na borda dos continentes, e o interior seria árido e seco. Isso em tese. Na prática, por sorte, existem as florestas, uma forma de vegetação com a maior superfície coberta por folhas: para cada quilômetro quadrado de floresta há 27 quilômetros quadrados de folhas e agulhas nas copas,[32] onde parte da precipitação é retida e evapora. Além disso, no verão as árvores precisam de até 2.500 metros cúbicos de água por quilômetro quadrado de folhas, volume que elas liberam no ar por meio da transpiração. Essa evaporação forma novas nuvens, que se deslocam para o interior do continente e voltam à terra na forma de chuva. Esse ciclo continua de modo que as áreas mais distantes da costa também sejam abastecidas.

Essa "bomba d'água" funciona tão bem que, mesmo a milhares de quilômetros da costa, o volume de precipitação em muitas regiões grandes da Terra, como a Bacia Amazônica, não é tão diferente do da área costeira. Mas para isso há uma condição: que o caminho a partir da costa até o ponto mais distante seja coberto de florestas. Caso contrário o sistema não funciona.

Os cientistas atribuem essa descoberta fundamental a Anastassia Makarieva, do Instituto de Física Nuclear de São Petersburgo, na Rússia.[33] Ela e seu grupo realizaram pesquisas em diferentes florestas espalhadas pelo mundo e chegaram sempre às mesmas conclusões: na floresta tropical ou na taiga siberiana, eram as árvores que transportavam a umidade necessária à vida para o interior do continente. Também descobriram que o processo inteiro é interrompido quando as florestas costeiras são desmatadas. É como se alguém removesse os tubos de sucção de água de uma bomba elétrica. No Brasil, as consequências já começaram a surgir: o nível de umidade da Floresta Amazônica está cada vez mais baixo. A Europa Central, a cerca de 600 quilômetros da costa, ainda faz parte da área de alcance da bomba de sucção, e felizmente ainda existem florestas na região, apesar de sua área já ter diminuído bastante.

As florestas de coníferas do hemisfério Norte têm outra forma de influenciar o clima e o equilíbrio hídrico: exalando terpenos, substâncias que funcionam originalmente como proteção contra doenças e parasitas. Quando essas moléculas entram na atmosfera, concentram a umidade. Com isso, formam-se nuvens duas vezes mais densas do que em superfícies sem florestas. A probabilidade de chuva aumenta, e com isso 5% a mais de luz é refletida, em vez de ser absorvida. O clima local esfria – e o clima frio e úmido é ideal para as coníferas. Devido a esse efeito, os ecossistemas desempenham um papel possivelmente importante na redução das mudanças climáticas.[34]

As precipitações regulares são fundamentais para o ecossistema da Europa Central, pois água e floresta formam um par quase inseparável. Seja riachos, lagos ou a própria floresta, todos os ecossistemas devem oferecer a seus habitantes a condição mais constante possível. Um caso típico de animal que não gosta de grandes alterações é o caramujo de água doce. Dependendo da espécie, um indivíduo mede menos de 2 milímetros e adora água fria, que não deve ultrapassar 8ºC.

O motivo de muitos desses caramujos não suportarem água mais quente está no passado da espécie: seus ancestrais se adaptaram às águas formadas pelo degelo dos glaciares, tão comuns na Europa durante a última Era do Gelo. Os mananciais limpos que nascem nas florestas oferecem tais condições. A água emerge a uma temperatura fria e constante, pois sai dos lençóis freáticos subterrâneos, nas camadas mais profundas do solo, onde fica isolada das temperaturas externas. Como atualmente não há mais geleiras na Europa, esse é o hábitat substituto ideal para os caramujos.

No entanto, ainda assim a água precisa brotar o ano todo, e é nesse ponto que a floresta entra em cena, pois o solo age como um grande reservatório para a chuva. As árvores evitam que as gotas caiam com muita força no solo; em vez disso, elas pingam suavemente dos galhos. O solo arenoso absorve toda a água, impedindo a criação de charcos. Quando a terra fica saturada e a reserva para as árvores já está cheia, a água excedente passa a escoar devagar, ao longo de anos, para as camadas mais profundas, e às vezes são necessárias décadas até que a umidade volte a brotar.

Hoje em dia já não existem mais oscilações entre períodos de seca e fortes precipitações, e restou apenas um manancial de onde a água brota, embora nem sempre se possa dizer que ela de fato "brota". Muitas vezes parece apenas uma região pantanosa, enlameada, que se estende no solo da floresta como uma mancha escura até o riacho mais próximo. No entanto, olhando mais de perto (e para isso é necessário ficar de joelhos), é possível reconhecer filetes mínimos que caracterizam um manancial. Mas, para descobrir se a água acumulada é apenas consequência de uma chuva forte ou de fato um lençol freático, é preciso usar um termômetro. Se ela estiver abaixo de 9°C, deve ter brotado de um manancial.

É pouco provável que alguém vá passear na floresta com um termômetro. Mas existe uma alternativa: passear quando o solo estiver congelado e quebradiço, pois as poças e a água da chuva congelam, mas os mananciais continuam vazando água. Os caramujos de água doce também gostam dessa temperatura constante e ideal o ano todo. E não é apenas o solo que torna isso possível. O teto de folhas das árvores fornece sombra e bloqueia o excesso de radiação solar. No verão, um micro-hábitat como esse poderia se aquecer rapidamente e cozinhar os caracóis.

A floresta oferece um serviço semelhante e até mais importante para os riachos. Ao contrário do manancial (de onde a água brota a uma temperatura constantemente fria), a água dos riachos sofre oscilações de temperatura. Animais como a larva de salamandra e o girino, que vivem fora do riacho, se comportam como os caracóis: precisam do oxigênio na água, por isso ela deve permanecer fria, mas não a ponto de congelar, do contrário eles morrem.

As árvores frondosas solucionam esse problema. No inverno, quando o sol quase não esquenta, os galhos sem folhas deixam passar muita radiação solar, elevando a temperatura da água. O contato da água com o mato e as pedras também impede o congelamento rápido. Por outro lado, se no fim da primavera esquentar demais, as folhas das árvores nascem e "fecham a cortina", evitando que o sol esquente demais a água corrente. Depois disso o céu só se abre sobre o riacho no outono, quando as temperaturas voltam a cair.

Já os riachos próximos a coníferas passam por mais dificuldades. Nessas regiões o inverno é rigoroso, a água congela, às vezes por completo, e, como a água demora para aquecer na primavera, o curso de água não pode servir de hábitat para muitos organismos. No entanto, é difícil que surjam coníferas naturalmente à beira de riachos, pois os abetos não gostam de ter as raízes saturadas de água e mantêm distância desse tipo de terreno. Em geral esse conflito entre a floresta de coníferas e os habitantes dos riachos é causado por plantações.

As árvores continuam sendo importantes para os riachos mesmo após a morte. Por exemplo, se uma faia morta cai na transversal sobre o leito de um riacho, ela permanecerá ali por décadas, agindo como um pequeno dique e criando áreas de água parada em que podem viver espécies que não gostam de correntes fortes, como as larvas de salamandra. Na água fria da floresta, elas espreitam pequenos caranguejos, dos quais se alimentam. Para tal a qualidade da água precisa ser perfeita, e até isso as árvores mortas propiciam, pois nos laguinhos represados depositam-se lama e partículas em suspensão, e por causa da lentidão da correnteza as bactérias têm mais tempo para decompor substâncias tóxicas antes de serem levadas. Por isso, não precisamos nos preocupar ao ver espuma na água após uma chuva forte. O que inicialmente parece um desastre ambiental, na verdade, pode ser o resultado da ação dos ácidos húmicos, que entram em contato com o ar em pequenas quedas-d'água e formam a espuma. Esses ácidos nascem da decomposição de folhas e madeira morta e são extremamente valiosos para o ecossistema.

Nos últimos anos, a floresta tem visto uma redução no número de troncos caídos para formar esses pequenos charcos, e cada vez mais ela recebe a ajuda de um animal que estava em extinção mas voltou à ativa: o castor. Talvez as árvores não fiquem felizes com essa "proteção", pois na verdade esse roedor que pesa até 30 quilos é o lenhador dos animais. Em uma noite, pode derrubar árvores com tronco de diâmetro entre 8 e 10 centímetros (se for mais grosso, ele necessitará de mais turnos de trabalho).

O castor precisa derrubar os troncos por causa dos galhos – ele se alimenta deles e faz estoque na toca, que no decorrer do ano pode alcançar alguns metros de largura. Também usa os galhos para esconder a entrada da toca. A fim de aumentar a proteção, o castor cava os túneis de acesso embaixo d'água; isso impede o acesso de animais de rapina. Apenas a parte habitável fica acima do nível da água, em terra firme. Tendo em vista que o espelho d'água pode subir ou descer dependendo da época do ano, muitos castores constroem diques e represam riachos, formando grandes lagoas. A água escoa lentamente da floresta, e perto da região de represamento formam-se charcos. Os amieiros e salgueiros adoram o solo úmido, mas as faias odeiam, e morrem. No entanto, mesmo as espécies de árvores que se aproveitam do aumento da umidade não duram muito tempo na área de atuação do castor, pois são uma fonte viva de alimentos do roedor.

Embora o castor prejudique a floresta a seu redor, em geral ele exerce uma influência positiva no ecossistema, pois regula o equilíbrio hídrico da região. Além disso, cria hábitats para espécies que precisam de áreas extensas de água parada.

A chuva pode criar um clima maravilhoso durante uma caminhada, mas se torna um problema se não estivermos com roupas adequadas. Mas, caso você esteja numa floresta de árvores frondosas e não queira pegar chuva, é possível se precaver e ir embora antes. Para isso, é preciso que na floresta haja pássaros que mudem o canto quando a chuva se aproxima, como é o caso dos tentilhões (ave comum na Europa, na África e na Ásia), que cantam com ritmo quando o tempo está bom. Porém, quando a chuva se aproxima, o canto se transforma em um grasnado alto e nada musical.

19. Meu ou seu?

O ecossistema da floresta tem um equilíbrio perfeito, no qual cada ser tem seu nicho e sua função, que contribui para o bem-estar de todos. Com frequência a natureza é descrita dessa forma (ou pelo menos de maneira parecida), mas infelizmente essa descrição está errada, pois na floresta predomina a lei do mais forte. Cada espécie deseja a própria sobrevivência e, para isso, toma das outras tudo de que precisa. Basicamente, todos são impiedosos, e as florestas só não entram em colapso porque contam com mecanismos de proteção contra excessos, sendo o maior deles a própria genética: quem é ganancioso demais e pega tudo sem dar nada em troca acaba roubando de si mesmo os elementos básicos da vida e morre. Por isso a maioria das espécies desenvolve um comportamento inato que protege a floresta dos excessos. Um bom exemplo é o gaio, que come frutos de carvalho e faia mas enterra uma grande quantidade de sementes, fazendo as árvores se reproduzirem melhor do que fariam sem ele.

Quando passeamos por uma floresta escura, de árvores altas, a sensação é de que estamos dentro de um supermercado repleto de todo tipo de alimentos deliciosos (pelo menos para os animais, fungos e bactérias que a habitam). Uma única árvore contém milhões de calorias na forma de açúcar, celulose, linhito e outros carboidratos, além de água e minerais valiosos. Mas, em vez de supermercado, talvez a melhor palavra para descrever a floresta seja cofre, pois ela está longe de ser um banquete. Sua porta está "trancada" (a casca é grossa), e para se alimentar é preciso ter um bom plano. A exceção é o pica-pau. Graças a um apêndice especial do bico e de músculos que funcionam como amortecedores na cabeça, ele pode golpear a madeira à vontade sem sentir dor.

Na primavera, quando o sumo flui rico em nutrientes dentro da árvore e chega aos brotos nos galhos, várias espécies de pica-pau abrem buracos nos troncos ou em galhos mais finos. A impressão é de que se forma uma linha pontilhada na superfície, por onde a árvore começa a sangrar. O sangue da árvore não tem um aspecto tão dramático quanto o nosso (é incolor como a água, e não vermelho vivo), mas sua perda é tão prejudicial para a árvore quanto é para o homem. O pica-pau abre os buracos em busca desse líquido e quando o encontra começa a sorvê-lo. Em geral, a árvore tolera a situação, desde que o pica-pau não exagere abrindo muitos ferimentos. Com o passar dos anos, eles se fecham sozinhos e deixam apenas cicatrizes.

Já o pulgão é muito mais preguiçoso do que o pica-pau. Em vez de se esforçar para voar e abrir buracos, ele se pendura com sua tromba nos vasos condutores de folhas e agulhas e bebe o líquido de um jeito que só ele é capaz. O sangue atravessa o corpo do inseto, que o excreta na forma de gotas do líquido. Ele precisa beber muito porque o sumo contém proteína – nutriente imprescindível para o desenvolvimento e a reprodução da espécie. Ele filtra o líquido em busca dessa substância valiosa e excreta a maior parte dos carboidratos, principalmente o açúcar, sem utilizá-los. Não é de estranhar que debaixo de árvores infestadas de pulgões se forme uma chuva pegajosa. Talvez você já tenha visto o fenômeno, ao estacionar o carro debaixo de um bordo e encontrar os vidros imundos.

Toda espécie de árvore tem seus parasitas específicos, como as píceas e o *Mindarus abietinus*, os abetos e o *Liosomaphis abietina*, os carvalhos e o *Phylloxera coccinea*, as faias e o *Phyllaphis fagi*. E, como as folhas já estão ocupadas por diversas espécies, esses parasitas precisam perfurar a casca grossa da árvore para alcançar os vasos que conduzem o sumo em seu interior.

Os pulgões que vivem nas cascas, como o *Cryptococcus fagisuga*, recobrem troncos inteiros com suas escamas prateadas. Para a árvore, o ataque da espécie tem o mesmo efeito que os cortes têm para nós: cria ferimentos úmidos difíceis de cicatrizar, que deixam a casca coberta de crostas. Às vezes, fungos e bactérias penetram as feridas e enfraquecem tanto a árvore que ela morre. Ela produz substâncias repelentes contra essas pragas para tentar se defender, mas, se a infestação perdurar, ela formará uma casca mais grossa, que a ajudará a se defender dos pulgões. Por alguns anos, pelo menos, isso a protegerá de outro ataque.

No entanto, para a árvore o risco de infecção não é o único problema. Os pulgões famintos extraem uma enorme quantidade de nutrientes – até centenas de toneladas de açúcar puro por quilômetro quadrado de floresta, substância que fará falta para a árvore, seja para estimular seu crescimento ou como reserva para o ano seguinte.

Para muitos animais, porém, o pulgão é uma bênção. Por um lado, serve de alimento para outros insetos, como a joaninha. Já as formigas adoram o sumo açucarado que o pulgão excreta e o tomam assim que ele sai do animal. Para acelerar o processo, as formigas o estimulam com as antenas. E, para que nenhum outro predador tenha a ideia de simplesmente devorar as valiosas colônias de pulgões, as formigas os protegem, desenvolvendo uma verdadeira criação de insetos nas copas. E o que as formigas não conseguem explorar não é desperdiçado. A película adocicada que cobre a vegetação ao redor da árvore é rapidamente ocupada por fungos e bactérias, mofa e ganha uma coloração negra.

A abelha é outro inseto que usa o excremento do pulgão. Ela suga as gotas adocicadas, transporta-as até a colmeia, regurgita-as e as processa para transformá-las em um mel silvestre escuro, muito desejado pelos compradores, embora em momento algum sua produção envolva flores.

Os mosquitos da família *Cecidomyiidae*, como o mosquito-galhador, e os insetos da família *Cynipidae*, como a vespa-das-galhas, são um pouco mais sutis. Em vez de furar as folhas, eles as modificam. Para isso, os animais adultos botam seus ovos dentro das folhas de faias ou carvalhos. As larvas nascem e começam a devorar a folha e, graças a reações químicas realizadas por sua saliva, a folha produz uma capa protetora. Na folha da faia ela é pontuda e na do carvalho é redonda, mas sua função é a mesma em ambos os casos: proteger a prole no interior da folha e permitir que ela se alimente em paz. No outono, a estrutura cai da folha com seus moradores, que entram em estado de pupa até a primavera. As faias especificamente podem sofrer enormes infestações, mas pouco são afetadas.

As lagartas de borboleta não buscam o sumo açucarado, mas folhas e agulhas. Se forem poucas, a árvore não será prejudicada, mas se isso acontecer em ciclos regulares pode haver infestação, fenômeno que presenciei alguns anos atrás em uma mata de carvalhos da nossa reserva. Aconteceu em junho, verão no hemisfério Norte. Quando vi as árvores da encosta sul de uma montanha fiquei assustado. Grande parte da folhagem jovem havia desaparecido, e a mata estava nua como no inverno.

Ao sair do jipe, ouvi um chiado alto que lembrava o de chuva forte, mas o céu estava completamente azul. Na verdade, eram as fezes de milhões de traças da espécie *Tortrix viridana*, que lançavam milhares de bolinhas pretas em minha cabeça e meus ombros. Ano após ano, a situação se repete nas grandes florestas de coníferas no leste e no norte da Alemanha. As monoculturas comerciais também facilitam a reprodução em massa de espécies de mariposa, como a *Lymantria monacha* e a *Bupalus piniaria*. Na maioria das vezes, a longo prazo isso provoca o surgimento de vírus que acabam dizimando a população de árvores.

O banquete das lagartas acaba quando as copas ficam desfolhadas em junho, verão no hemisfério Norte, momento em que as árvores mobilizam suas últimas reservas de energia para voltar a brotar. Em geral, elas conseguem, e em poucas semanas já quase não se nota mais o ataque devastador das larvas. No entanto, isso limita o crescimento da árvore, o que se traduz na criação de um anel de crescimento anual especialmente fino. Quando as árvores são atacadas e totalmente desfolhadas por dois ou três anos seguidos, muitas ficam tão debilitadas que morrem. O pinheiro corre um risco especialmente alto: além das mariposas e lagartas de borboletas, é atacado por insetos da família *Diprionidae*, cujas larvas têm um apetite voraz que prejudica as árvores: por dia, devoram até 12 agulhas.

No Capítulo 2 descrevi como as árvores usam substâncias aromáticas para atrair vespas parasitas e outros predadores e se livrarem das pragas. No entanto, existem outras estratégias, como mostra a cerejeira-brava. Suas folhas contêm glândulas de néctar, que secretam o mesmo sumo encontrado nas flores. Essas glândulas são desenvolvidas para atrair as formigas, que passam ali grande parte do verão. Assim como o homem, a formiga gosta de variar a alimentação, por isso às vezes procura algo mais substancial. E encontra: as lagartas. Com isso, livra a cerejeira das convidadas indesejadas. Contudo, nem sempre o mecanismo funciona como a árvore deseja: as formigas devoram a lagarta, mas às vezes a quantidade liberada de sumo não basta para a formiga, que começa a "criar" os pulgões que liberam o sumo adocicado quando estimulados por ela. O problema é que para isso a formiga precisa se alimentar das folhas.

Os temidos besouros escolitídeos procuram árvores debilitadas e tentam colonizá-las. Para isso se baseiam na tática do "tudo ou nada". De início um único besouro ataca a árvore. Se for bem-sucedido, enviará mensagens olfativas para chamar centenas de outros, que acabam matando o tronco. Do contrário, o inseto é morto pela árvore, e o bufê de todos os outros é frustrado. Seu objetivo é alcançar o câmbio da árvore, entre a casca e a madeira. Rico em açúcar e minerais, o câmbio forma células de madeira para o interior da árvore e de casca para o exterior.

Em casos de emergência o câmbio serve de alimento até para o homem, como é possível comprovar na primavera. Para isso, basta encontrar uma faia recém-derrubada pelo vento e arrancar sua casca com um canivete. Passe a lâmina ao redor do tronco e arranque faixas de casca de 1 centímetro de largura. Você verá que o câmbio é levemente resinoso, tem sabor parecido com o da cenoura e é bastante nutritivo. Os besouros escolitídeos concordam, por isso perfuram a casca e botam ovos perto dessa fonte de energia. Assim, bem protegidas dos inimigos, as larvas podem comer até se satisfazerem. Para se proteger o abeto produz terpenos e substâncias fenólicas, podendo até matar o besouro (mesmo quando não mata o inseto, ele acaba grudado nas gotas de resina).

No entanto, pesquisadores na Suécia descobriram que os besouros estão armados para o contra-ataque: no corpo dos animais vivem fungos que, durante a perfuração, se instalam debaixo da casca, desarmam as defesas químicas da faia e as transformam em substâncias inofensivas. Como os fungos crescem e se alastram mais rápido do que o besouro perfura, estão sempre um pouco à frente do inseto. Por isso, quando o besouro avança, passa apenas por terreno sem veneno e pode se alimentar sem riscos.[35] Quando isso acontece não há mais nada que atrapalhe sua proliferação, e os milhares de besouros jovens podem atacar até espécimes saudáveis. Poucos abetos sobrevivem a esse ataque em massa.

Os grandes herbívoros são bem menos educados. Precisam de quilos de alimento por dia, o que é raro conseguir no meio da floresta. Pouca luz chega ao solo, portanto dificilmente há alguma planta no chão, e os animais não alcançam as folhas suculentas das copas. Por isso naturalmente existem poucos cervos e corsas nesse ecossistema. Sua chance surge quando uma árvore cai, pois a incidência de luz no solo aumenta durante alguns anos e, além das árvores jovens, a mata rasteira também pode crescer por um breve período. No entanto, os herbívoros se alimentam dessa vegetação, logo ela perde espaço.

Luz significa açúcar, que torna as árvores jovens atraentes para os animais. Na penumbra debaixo das árvores-mães, em geral, os brotos são pequenos, fracos e quase não contêm nutrientes. Pelas raízes, a mãe bombeia para eles o pouco de que precisam para sobreviver enquanto esperam para crescer. Por quase não conterem açúcar na composição, os brotos são duros e amargos, de forma que o cervo os ignora. No entanto, quando o sol bate nas árvores jovens, elas começam a realizar a fotossíntese e a crescer rapidamente. As folhas ficam mais fortes e suculentas, e os botões que se formam no verão para a primavera seguinte são espessos e ricos em nutrientes, condição fundamental para a jovem árvore crescer rapidamente, antes que a janela de luz se feche. No entanto, essa mudança chama a atenção das corças, que passam a atacar sua folhagem agora apetitosa.

Durante alguns anos as jovens árvores e os herbívoros passam a disputar uma corrida: as faias, os carvalhos e os abetos conseguem crescer rápido o bastante a ponto de os animais não alcançarem nos importantes galhos principais? Em geral, nem todas as arvorezinhas de um pequeno grupo são pegas de surpresa, por isso alguns espécimes crescem sem serem prejudicados. No entanto, as que têm seu ramo principal devorado crescem tortas e curvadas, são rapidamente ultrapassadas pelas mudas ilesas, acabam morrendo por falta de luz e se transformam em húmus.

Um grande predador das árvores é o *Armillaria* (cogumelo--do-mel), cujos frutos aparentemente inofensivos surgem nos troncos de árvore, em geral no outono. Na Alemanha, sete espécies desse fungo difíceis de diferenciar são nocivas às árvores. Com o micélio, penetram a raiz da árvore, formam uma estrutura em formato de leque e começam a roubar, sobretudo, açúcar e nutrientes do câmbio, que são transportados por algo semelhante a cordões negros e grossos que lembram raízes e são raros no reino dos fungos. No entanto, o fungo não se contenta apenas com o açúcar: passa a devorar a madeira de sua hospedeira, que se decompõe e acaba morrendo.

O arbusto *Monotropa hypopitys* atua de maneira mais sutil. Não possui nenhum pigmento verde e forma uma discreta flor marrom-clara. Plantas que não são verdes não contêm clorofila, por isso não realizam a fotossíntese. Portanto, precisam de ajuda externa: acessam a micorriza (a associação entre o micélio de certos fungos e as raízes de árvores, que envolve a troca de nutrientes entre as espécies) e, como não precisam de luz, vivem até nas matas de abetos mais escuras, onde interceptam parte dos nutrientes que fluem entre fungos e árvores. A espécie *Melampyrum sylvaticum* atua de maneira semelhante, mas quase perversa: ela é verde, pois converte um pouco da luz e do CO_2 em açúcar; no entanto isso não passa de um álibi para esconder que ela também se infiltra na micorriza do abeto para se alimentar.

As árvores fornecem muito mais do que alimento. As jovens, por exemplo, são usadas por cervos e corças para se rasparem. Todo ano os machos dessas espécies precisam eliminar a pele de seus chifres. Para isso, procuram árvores pequenas que sejam grossas o bastante para não quebrar, mas ao mesmo tempo um pouco flexíveis. Quando encontram, passam dias raspando o chifre no tronco, até eliminar o último pedaço de pele incômoda. Partes de casca da árvore também caem, tanto que é comum elas morrerem. Na hora de escolher a espécie de árvore, os cervos e as corças procuram a mais rara da região, talvez porque o aroma da casca funcione como um perfume exótico. Os humanos raciocinam de forma semelhante: o que é raro provoca desejo. De qualquer forma, quando o diâmetro do tronco ultrapassa 10 centímetros, a casca da maioria das espécies fica tão grossa que resiste à intensa raspagem. Além disso, a árvore se torna tão estável que o animal não consegue mais dobrá-la, e seu tronco, grosso demais para caber entre os chifres.

Mas os cervos ainda têm outra necessidade. Normalmente eles não viveriam na floresta, pois praticamente só se alimentam de grama, que é em florestas naturais, o que não permite que os cervos formem bando e prefiram ficar na estepe. Por outro lado, o homem ocupa os vales fluviais, onde, graças às constantes inundações, sempre há terra fértil. Cada metro quadrado é tomado por cidades ou pela agricultura. Por isso, os cervos voltaram para a floresta, de onde saem à noite quando necessário. Mas, sendo herbívoros, precisam de alimentos ricos em fibras o tempo todo. Quando não conseguem, apelam para a casca das árvores.

No verão, quando a árvore está repleta de água, sua casca se desprende com facilidade. Os cervos a mordem com os incisivos (que existem apenas em sua mandíbula inferior) e arrancam grandes faixas de casca de baixo para cima. No inverno, quando as árvores hibernam e a casca fica seca, arrancam pedaços peque-nos. Como sempre, para as árvores isso não só é extremamente doloroso como bastante perigoso, pois os fungos se instalam nas enormes feridas abertas e logo destroem a madeira. A ferida é tão extensa que a árvore não é capaz de fechá-la rapidamente. Se tiver crescido em uma floresta ancestral, aos poucos ela poderá sobreviver até a contratempos graves como esse. Formará anéis de crescimento mínimos, porém duros e densos, o que dificultará a vida dos fungos. Vejo muitas árvores jovens que, depois de dé-cadas, conseguiram fechar as feridas. No entanto, nas árvores das nossas florestas de exploração comercial a coisa muda de figura. Em geral, elas crescem muito rápido, têm anéis grandes e, por isso, a madeira contém bastante ar. Ar e umidade formam o am-biente ideal para os fungos, e então acontece o inevitável: ainda na meia-idade, a árvore quebra. O máximo que consegue é fechar os pequenos ferimentos do inverno sem sofrer grandes danos.

20. Lar, doce lar

Além de todos os outros usos, os animais podem fazer as árvores de lar, mesmo que elas não gostem nem um pouco dessa ideia.

Pássaros, martas (espécie de mamífero carnívoro comum nas florestas do hemisfério Norte) e morcegos adoram o tronco grosso dos espécimes mais velhos. E ele precisa ser grosso, pois suas paredes espessas isolam muito bem do calor e do frio. Em geral, quem começa os trabalhos é o pica-pau-malhado-grande ou o pica-pau-preto, abrindo um buraco de centímetros de profundidade no tronco. Ao contrário do que se pensa (que o pássaro só constrói sua casa em árvores em decomposição), muitas vezes eles procuram espécimes saudáveis. Afinal, quem se mudaria para uma casa caindo aos pedaços se pudesse construir uma nova ao lado?

Os pica-paus, assim como nós, também querem que seu ninho seja duradouro e estável. Como precisam bater muitas vezes e com força na madeira saudável, ficariam exaustos se terminassem o trabalho num dia só. Por isso, após concluírem a primeira fase da construção, tiram férias de meses e para a segunda fase da obra esperam pela ajuda dos fungos, que aceitam o convite de bom grado, pois normalmente não conseguem penetrar a casca. Eles rapidamente ocupam a abertura e começam a corroer a madeira. Para a árvore, isso é um ataque duplo; para o pica-pau, ao contrário, é uma divisão de tarefas, porque depois de um tempo as fibras da árvore ficam tão frágeis que o trabalho flui com muito mais facilidade.

Como o pica-pau-preto é do tamanho de um corvo, apenas uma toca não basta para tudo o que precisa fazer. Em uma ele choca os ovos, em outra dorme e as restantes usa para mudar de ares. A cada ano as tocas são renovadas, o que se percebe pelas aparas de madeira caídas ao pé das árvores. O pica-pau precisa realizar essa renovação porque, depois que entram, os fungos não param mais de avançar. Penetram o tronco cada vez mais, transformando a madeira em uma massa decomposta na qual fica difícil chocar os ovos. Quando o pica-pau joga essa massa fora, a entrada cresce, mas em algum momento se torna grande e funda, e o chão fica distante da entrada. Com isso, para realizar seu primeiro voo, os filhotes precisam escalar o interior do tronco até a passagem.

É nesse momento que chegam os novos moradores, espécies que não conseguem construir suas tocas na árvore, como a trepadeira-azul, pássaro semelhante a um pica-pau de menor porte que também bica a madeira morta para se alimentar das larvas de besouro e constrói o ninho em tocas antigas de pica-pau-malhado-grande. Mas essa espécie enfrenta um problema: a entrada da toca é grande demais e permite que inimigos roubem seus ovos. Para evitar isso, a trepadeira-azul usa argila para diminuir a entrada.

Falando de predadores, graças às características da madeira as árvores oferecem a seus moradores um serviço especial, mesmo que involuntário. Suas fibras conduzem o som muito bem, motivo pelo qual instrumentos musicais como violinos ou violões são feitos desse material. Um experimento simples mostra como sua acústica é boa: ponha o ouvido na extremidade mais estreita de um tronco caído há muito tempo e peça que outra pessoa bata ou raspe uma pedra na superfície da madeira. Se o local estiver silencioso (como uma floresta), será possível ouvir o som com uma nitidez surpreendente.

Os pássaros que habitam as tocas usam esse princípio como uma espécie de dispositivo de alarme. A diferença é que, em vez de batidinhas inocentes, os ruídos são causados pelas garras de martas ou esquilos. Do alto da árvore é possível ouvi-los, e os pássaros conseguem fugir. Se o ninho estiver ocupado por aves mais jovens, que ainda não voem, o adulto pode ao menos tentar desviar a atenção dos predadores, o que nem sempre funciona. Se o predador alcança o ninho, pelo menos os pais conseguem fugir e podem voltar a pôr ovos para compensar a perda.

Para o morcego a acústica não tem importância, pois suas preocupações são outras. O mamífero também precisa de muitas tocas para criar seus filhotes. No caso do *Myotis bechsteinii* (também conhecido como morcego-de-bechstein), as fêmeas formam pequenos grupos para cuidar da prole juntas, mas passam poucos dias em cada toca, depois se mudam. O motivo são os parasitas. Se passassem a estação inteira na mesma toca, os parasitas poderiam se multiplicar e atormentar os morcegos.

As corujas não cabem nos buracos de pica-pau, por isso precisam esperar alguns anos para ocupá-los. Nesse período a árvore se decompõe e a abertura cresce. É comum algumas árvores terem um rastro de furos próximos uns dos outros, que acabam se juntando e acelerando o processo. São originalmente construídos por pica-paus, que fazem da árvore uma espécie de "prédio de apartamentos".

A árvore tenta se defender como pode, porém a essa altura já é tarde demais para agir contra os fungos, pois as portas estão abertas para eles há anos. Mesmo assim ela pode estender consideravelmente sua expectativa de vida se ao menos controlar os ferimentos externos. Com isso, continua se decompondo por dentro, mas permanece estável, como um cano oco, e ainda pode viver mais 100 anos. Essas tentativas de restauração surgem em forma de saliências ao redor das tocas de pica-pau. Há casos raros em que, pouco a pouco, a árvore consegue fechar os buracos, mas em vão: a ave logo volta a bicar a madeira nova sem piedade.

O tronco em putrefação se transforma no lar de comunidades complexas. Formigas formam colônias que devoram a madeira mofada e constroem ninhos que parecem de papelão, depois embebem as paredes com o líquido açucarado excretado pelo pulgão, onde crescem os fungos que, com sua rede de filamentos, dão estabilidade ao formigueiro.

Inúmeras espécies de besouros são atraídas por esse material em putrefação no interior da toca. Como suas larvas demoram anos para se desenvolver, precisam de condições estáveis a longo prazo, ou seja, de árvores que demorarão décadas para morrer e permanecerão em pé por muito tempo. A presença da larva do besouro é garantia de que a toca continua atraente para fungos e outros insetos, que provocam uma chuva contínua de excrementos e serragem sobre o material putrefato.

O fundo da toca também recebe os excrementos de morcegos, corujas e arganazes. Com isso, a matéria em putrefação continua recebendo nutrientes, que servem de alimento, por exemplo, para o besouro *Ischnodes sanguinicollis*.[36] Ou para as larvas do *Osmoderma eremita*, escaravelho preto que tem entre 1 e 4 centímetros de comprimento, não gosta de se locomover e prefere passar a vida na escuridão da toca na base de um tronco em decomposição. Como ele mal voa ou anda, muitas gerações de uma mesma família podem viver numa só árvore. Isso explica por que é tão importante manter essas árvores antigas. Se forem derrubadas, esses besouros não conseguirão caminhar até a árvore vizinha.

Mesmo que um dia a árvore desista de lutar e tombe em uma tempestade, ela terá sido valiosa para a comunidade. Ainda não há pesquisas extensas sobre o assunto, mas sabe-se também que quanto maior a biodiversidade na floresta, mais estável é seu ecossistema. Quanto mais espécies, menor a chance de uma delas prosperar à custa de outra, porque sempre haverá adversários a postos. E a mera presença dos cadáveres das árvores pode ajudar no equilíbrio hídrico das outras árvores a seu redor, como vimos no Capítulo 17.

21. Nave-mãe da biodiversidade

A maioria dos animais que depende das árvores não lhes causa nenhum dano. Graças às diferenças de nível de umidade e incidência de luz, eles adaptam o tronco ou a copa e os fazem de moradia, transformando-os em pequenos nichos ecológicos. Existem poucas pesquisas a respeito do assunto, sobretudo nos andares mais altos da floresta, pois os cientistas precisam usar guindastes ou andaimes para examinar esses locais. Para evitar despesas, às vezes usam métodos brutais. Em 2009, o pesquisador Dr. Martin Gossner borrifou um produto na maior árvore do Parque Nacional da Floresta da Baviera, que tem aproximadamente 600 anos, 52 metros de altura e 2 metros de diâmetro (o produto foi usado na altura de seu peito). O material utilizado, extrato de piretro (um inseticida), matou as aranhas e os insetos da copa. No entanto, ficou claro como é grande a diversidade de espécies. O pesquisador contou entre os mortos 2.041 animais de 257 espécies.[37]

Nas copas existem até micro-hábitats úmidos. A água da chuva pode se acumular na forquilha de um tronco e formar uma "microlagoa" que se torna o lar de larvas de mosquitos que servem de alimento para algumas espécies de besouro. Quando a chuva acumula nas tocas abertas dos troncos, onde a luz não incide, a situação fica mais complicada. O caldo mofado e turvo que se forma contém pouco oxigênio, condição que impede o surgimento de larvas que se desenvolvem na água, a menos que usem um "snorkel", como é o caso das larvas da mosca *Volucella bombylans*, que estendem um apêndice respiratório como se fosse um telescópio e sobrevivem nesses pequenos corpos d'água. Como quase nada vive neles além de bactérias, provavelmente as larvas se alimentam delas.[38]

Nem toda árvore tem o mesmo destino. Algumas até são usadas pelos pica-paus e apodrecem aos poucos. Outras podem definhar lentamente e oferecem a animais especialistas em decomposição um hábitat difícil de encontrar. No entanto, muitas simplesmente morrem depressa. Uma tempestade pode derrubar um tronco forte, ou ele pode ser atacado por besouros escolitídeos, que em poucas semanas destroem a casca e a folhagem e matam a árvore. Isso altera drasticamente o ecossistema da árvore: ela é abandonada por animais e fungos que dependem do suprimento contínuo de umidade transportada pelos vasos das árvores ou do açúcar fornecido pela copa, do contrário também morrerão. Um pequeno mundo deixa de existir, mas outro nasce, pois o cadáver da árvore ainda é imprescindível para o ciclo de vida na floresta. Por séculos ela extraiu nutrientes do solo e os armazenou na madeira e na casca, o que a torna um tesouro valioso para suas descendentes, que no entanto não têm acesso direto aos nutrientes. Para isso, precisam da ajuda de outros organismos. Assim que o tronco cai no chão, começa a ser atacado por milhares de espécies de fungos e insetos, cada um especializado num estágio de decomposição e, às vezes, em partes específicas da árvore.

Certas espécies também não ameaçam árvores vivas, como é o caso do escaravelho vaca-loura (*Lucanus cervus*). Para ele, a madeira viva é "fresca" demais, por isso ele se alimenta de fibras de madeira amolecida ou de células em decomposição e umedecidas.

Essa espécie passa todo o seu longo período de desenvolvimento (até oito anos) devorando a raiz das frondosas em decomposição, sem a menor pressa. Sua vida adulta, por outro lado, dura apenas algumas semanas, tempo suficiente para se reproduzir.

Os fungos da família das poliporáceas se desenvolvem de maneira igualmente lenta. Um representante dessa família é o *Fomitopsis pinicola*, que se alimenta das fibras brancas de celulose da madeira e produz um farelo marrom. Seu corpo lembra o de um prato quebrado ao meio que se prende horizontalmente no tronco, pois só nessa posição consegue que seus pequenos canais na parte de baixo do corpo desprendam os esporos reprodutivos. Se a árvore em decomposição cai, o fungo fecha os canais e começa a mudar o ângulo de crescimento até voltar a ficar na horizontal em relação ao chão.

Algumas espécies de fungo lutam ferozmente entre si pelas fontes de nutriente. Para comprovar, basta serrar pedaços de madeira morta: em seu interior há manchas que lembram mármore, algumas mais escuras, outras mais claras, nitidamente separadas por linhas pretas. Os tons diferentes são resultantes da ação de diferentes espécies de fungos que brigam pela madeira. Para delimitar seu território frente a outras espécies, eles usam polímeros escuros e intransponíveis, que mais parecem linhas de batalha.

Ao todo, um quinto das espécies conhecidas de animais e plantas – cerca de 6 mil até hoje – se alimenta de madeira morta,[39] útil para a reciclagem de nutrientes. No entanto, será que, caso falte madeira morta, elas podem atacar árvores vivas? Preocupados com essa possibilidade, muitos visitantes da nossa floresta fazem essa pergunta, pois alguns proprietários de terrenos florestais removem os troncos mortos.

No entanto, isso é um exagero. Ao remover árvores mortas destruímos hábitats valiosos desnecessariamente, pois os habitantes da madeira morta não causam danos às vivas, as quais consideram muito duras, úmidas e ricas em açúcar. Além disso, faias, carvalhos e abetos se defendem contra colonizações. Quando bem nutridas e em seu ambiente natural, árvores saudáveis resistem a quase todos os ataques, e as espécies que vivem da madeira morta contribuem para isso, desde que encontrem lugar para viver, pois um tronco caído pode servir de berço para os brotos. Os do abeto, por exemplo, germinam muito bem no corpo morto de seus pais, processo científico estranhamente descrito em alemão como *Kadaververjüngung* – "rejuvenescimento cadavérico".

A madeira amolecida e podre armazena muito bem a água, e parte de seus nutrientes é liberada por fungos e insetos. Há apenas um problema: o tronco substitui o solo por muito tempo – continua se decompondo até um dia se transformar em húmus e desaparecer. Com isso, pouco a pouco as raízes das árvores jovens são expostas e perdem sustentação. No entanto, como o processo se arrasta por décadas, a raiz tem tempo de crescer, penetrar o solo e estabilizar a árvore viva ainda no tronco da árvore morta. Quando isso acontece, o tronco do abeto vivo parece ficar suspenso em "estacas" de altura corresponde ao diâmetro da árvore morta.

22. Hibernação

No fim do verão a floresta começa a se comportar de modo peculiar. As copas trocam o verde exuberante por um tom amarelado. A impressão é de que cada vez mais estão cansadas e esperando o fim de uma estação difícil. Assim como nós, depois de um dia cheio de trabalho elas querem seu merecido descanso.

Os ursos-pardos e os arganazes hibernam, mas podemos dizer que as árvores dormem? O urso-pardo é um animal adequado para essa comparação, pois se vale de uma estratégia semelhante à das árvores. No verão e no início do outono, come para formar uma grossa camada de gordura, a qual usa como reserva de energia durante o inverno. Claro que as árvores não se alimentam de frutas ou salmão, mas se abastecem de energia do sol e reservam açúcares e outras substâncias que, como nos ursos, ficam armazenadas junto da pele. No entanto, como não podem engordar (isso acontece apenas com a madeira, que equivale a seus ossos), só lhes resta preencher seus tecidos com os nutrientes.

Em agosto, no hemisfério Norte, é possível ver árvores nesse estágio, sobretudo a cerejeira-brava (*Prunus avium*), a tramazeira (*Sorbus aucuparia*) e o mostajeiro (*Sorbus torminalis*). Embora ainda possam se valer de muitos dias lindos de sol até meados do outono, elas ganham uma tonalidade avermelhada, mudança que significa que estão começando a fechar a loja para balanço. Suas reservas sob as cascas e nas raízes estão cheias, e elas não precisam mais armazenar açúcar. No entanto, enquanto o urso continua se alimentando, essas espécies começam a pegar no sono. A maioria das outras, aparentemente, tem maior capacidade de armazenagem de energia, por isso continua realizando a fotossíntese até caírem as primeiras geadas fortes. Nesse momento, também precisam suspender as atividades.

Um dos motivos para a interrupção é a água, que deve estar líquida para que a árvore possa trabalhar. Se seu "sangue" congela, seus sistemas param de funcionar e ela pode até sofrer danos graves (por exemplo, caso a madeira esteja muito úmida, o congelamento pode fazê-la simplesmente estourar, como acontece com um cano). Por isso, ainda no auge do verão a maioria das espécies começa a reduzir sua umidade e, com isso, as atividades. Porém, dois motivos as impedem de interromper por completo as atividades no inverno: primeiro, elas usam os últimos dias quentes do fim do verão para encher os tanques de energia (desde que não sejam parentes das cerejeiras); segundo, a maioria das espécies precisa transportar os nutrientes que estão nas folhas para o tronco e as raízes. Acima de tudo elas precisam decompor a clorofila – responsável pelo verde das folhas –, que na primavera seguinte é enviada de volta para novas folhas. Mas no inverno, conforme a energia é retirada das folhas, elas ganham tons amarelados e marrons, formados por carotenos que já estavam nas folhas.

Essa mudança de cor no outono possivelmente serve como sinal de advertência. Nessa época os pulgões e outros insetos buscam abrigo nas fendas da casca para se protegerem das baixas temperaturas. Por isso, a fim de demonstrar que serão capazes de se defender na próxima primavera, as árvores saudáveis exibem folhas de outono com cores intensas.[40] Para a prole do pulgão e companhia isso é mau sinal, pois mostra que elas podem reagir de maneira agressiva, produzindo substâncias tóxicas. Por isso, procuram árvores mais fracas e menos coloridas no outono.

No entanto, muitas espécies de coníferas se preparam de outra forma: mantêm todo o verde exuberante nos galhos e ignoram a renovação anual. Armazenam substâncias anticongelantes para evitar o congelamento das agulhas e recobrem a superfície delas com uma grossa camada de cera, evitando que percam água durante o inverno. Como proteção extra, formam uma pele dura e resistente, com pequenas e profundas aberturas para a respiração do tronco. Essas medidas impedem uma perda de água que seria trágica para as coníferas, pois com o solo congelado elas não teriam de onde recuperar a energia perdida, e então ressecariam e poderiam morrer de sede.

Ao contrário das agulhas, as folhas são suaves e delicadas, ou seja, praticamente indefesas. Assim, é natural que faias e carvalhos desfolhem logo nas primeiras geadas. Mas por que essas espécies também não desenvolveram uma pele mais grossa e agentes anticongelantes no decorrer da evolução? Tem sentido formar até 1 milhão de folhas novas todo ano para usá-las apenas por alguns meses e em seguida se dar o trabalho de jogá-las fora? A evolução responde que vale a pena, sim, pois, quando as frondosas se desenvolveram há 100 milhões de anos, as coníferas já existiam havia 170 milhões de anos. Ou seja, em comparação, as frondosas são recentes. Assim, no outono seu comportamento tem muito sentido, pois ao desfolhar elas evitam os efeitos de uma força devastadora: as tempestades de inverno.

Quando os ventos fortes começam a soprar nas florestas a partir do meio do outono, muitas árvores passam a correr risco de vida. Acima de 100 km/h os ventos podem derrubar árvores grandes, velocidade que em certos anos é alcançada toda semana. As chuvas de outono amolecem o solo, que, enlameado, não proporciona muita base de apoio às raízes. A tempestade pode atingir um tronco adulto com força de aproximadamente 200 toneladas. A árvore que estiver mal preparada não suportará a pressão e cairá.

Mas as frondosas se preparam bem. Para evitarem o pior, desfolham a copa inteira. Com isso, a imensa superfície de 1.200 metros quadrados se mistura com o solo da floresta.[41] É como se um velejador enrolasse a vela principal de 30 metros de largura por 40 de altura de seu barco. Mas não é só isso. O formato do tronco e dos galhos tem um coeficiente de resistência aerodinâmica menor que o de carros modernos, e a árvore em geral é flexível, pois a força de uma rajada é absorvida e distribuída ao longo de sua extensão.

Com essas medidas as frondosas passam quase ilesas pelo inverno. No caso de furacões especialmente fortes, que se formam apenas a cada 5 ou 10 anos, a comunidade das árvores se une para ajudar seus membros. Cada tronco é diferente, tem uma história própria, um padrão em suas fibras de madeira. Isso significa que, após a primeira rajada que curva todos os espécimes ao mesmo tempo na mesma direção, cada árvore volta para sua posição a uma velocidade diferente. Em geral são as rajadas seguintes que matam a árvore, pois atingem-na antes de ela voltar à posição inicial e a dobram além do limite que podem suportar.

No entanto, em uma floresta intacta, todas se ajudam. Conforme voltam ao lugar, as copas se chocam umas contra as outras, e cada uma volta à sua velocidade – enquanto algumas ainda se dobram, outras já começam a retornar à posição inicial, efeito que funciona como um freio para ambas. Na rajada seguinte elas praticamente já voltaram à posição inicial, e a luta recomeça. Nunca me canso de observar o movimento das copas e, ao mesmo tempo, da comunidade e de cada um de seus indivíduos.

Assim, a cada inverno sobrevivido as árvores provam que a queda das folhas tem sentido e que o gasto de energia para produzir folhas anualmente compensa. No entanto, essa estratégia esconde outros perigos. Um deles são as nevascas. A neve obriga as árvores folhosas a desfolhar no momento correto. Quando os 1.200 metros quadrados de superfície folhosa desaparecem, sobram apenas os galhos para acumular e suportar a cobertura branca, e isso significa que grande parte da neve cai no solo.

Na nossa reserva, anos atrás houve uma época em que a temperatura permaneceu um pouco abaixo do ponto de congelamento ao mesmo tempo que caía uma garoa aparentemente inofensiva. Esse clima incomum persistiu por três dias, e a cada hora que passava eu ficava mais preocupado com a floresta, pois a chuva leve congelava nos galhos, que nitidamente se dobravam para baixo, e o gelo pesa mais do que a neve. A imagem era belíssima: todas as árvores ficaram cobertas por uma camada cristalina. A mata de bétulas jovens se curvou como um todo, e eu sofria por elas. As árvores adultas, que basicamente eram as coníferas (em sua maioria, douglásias e abetos), perderam até dois terços dos galhos, que se romperam com estalos altos. Isso debilitou as árvores, e ainda vai levar décadas para as copas voltarem a seu aspecto original.

No entanto, as bétulas curvadas me surpreenderam: quando o gelo derreteu poucos dias depois, cerca de 95% dos troncos se endireitaram. Passados alguns anos, mal exibem qualquer sinal do que aconteceu. Claro que algumas não conseguiram se aprumar: morreram, seus troncos entraram em decomposição e lentamente se transformaram em húmus.

O desfolhamento também é um recurso de proteção eficaz que parece feito sob medida para o clima temperado. Para as árvores representa uma oportunidade de "ir ao banheiro". Elas também têm necessidade de eliminar o que for supérfluo, que acaba caindo no chão junto com as folhas. O desfolhamento é um processo ativo, ou seja, a árvore precisa realizá-lo antes de hibernar. Quando o suprimento de reserva é transferido das folhas para o tronco, a árvore forma uma camada de células que separa a conexão entre folhas e galhos. Dessa forma, basta uma leve brisa para que as folhas caiam e a árvore possa descansar e se recuperar dos esforços da estação anterior. Quando isso não acontece a árvore sofre privação de sono, e, assim como acontece com o homem, isso põe sua vida em risco. Por isso os carvalhos e as faias plantados em vasos não sobrevivem em uma sala de estar. Não permitimos que elas descansem, e na maioria das vezes morrem com menos de um ano.

A árvore jovem que vive à sombra de sua progenitora desfolha de maneira um pouco diferente da mãe. Quando esta desfolha, o sol passa a incidir mais no solo. As jovens aguardam ansiosamente esse momento e aproveitam para armazenar toda a energia possível. Em geral, durante esse processo elas são surpreendidas pelas primeiras geadas. Quando a temperatura fica muito abaixo do ponto de congelamento – por exemplo, em geadas noturnas em que a temperatura cai abaixo de -5°C –, as árvores ficam exaustas e começam a hibernar. Não conseguem mais formar uma camada de células de separação, tampouco desfolhar. No entanto, para os brotos isso não importa. Como são pequenos, os ventos não lhes oferece grande risco, e a neve não representa um problema real.

Na primavera, as árvores jovens aproveitam a mesma oportunidade: brotam duas semanas antes das adultas e garantem um farto café da manhã. Mas como a prole sabe o momento de despertar? Elas não sabem quando suas mães vão produzir as folhas e criar sombras. No entanto, perto do solo a temperatura começa a aumentar (e com isso anunciar a primavera) quase duas semanas antes do que acontece a 30 metros de altura, nas copas das adultas, onde os ventos são fortes, e as noites, muito frias, retardando um pouco a chegada da estação quente. Os galhos recobertos das árvores adultas evitam que as fortes geadas do fim do inverno caiam no solo; a camada de folhas que cobre o chão age como uma pilha de compostagem que funciona como um cobertor térmico e aumenta a temperatura em cerca de 2ºC. Somando-se esse período com os dias ganhos no outono, as árvores jovens conseguem um mês de crescimento livre (sem a cobertura das folhas das adultas), o que representa quase 20% do período de vegetação.

As frondosas se valem de diferentes estratégias para poupar energia. Antes de desfolharem, devolvem suas reservas aos galhos, que são armazenadas no tronco e na raiz. Mas para algumas árvores isso parece não fazer a menor diferença. Os amieiros, por exemplo, lançam suas folhas verdes ao chão sem o menor comedimento. No entanto, em geral ficam em solos pantanosos, ricos em nutrientes, e podem se dar ao luxo de produzir clorofila todos os anos. Para isso, os fungos e bactérias reciclam as folhas caídas ao pé da árvore e criam a matéria-prima necessária para que o amieiro produza a clorofila e a absorva pela raiz. Ele pode até abrir mão de reciclar o nitrogênio, pois vive em simbiose com bactérias que disponibilizam quanto nitrogênio a árvore quiser. (Em 1 metro quadrado de mata de amieiros, ao longo de um ano as bactérias filtram do ar até 30 toneladas de nitrogênio e as disponibilizam para as árvores, volume maior do que a maioria dos agricultores espalha em suas plantações como fertilizante).[42]

Enquanto muitas espécies se esforçam para ter uma vida austera, amieiros, freixos e sabugueiros esbanjam. Descartam as folhas ainda verdes e não contribuem em nada para o colorido das florestas no outono. Ou seja: as árvores que mudam de cor no outono são mais comedidas? Não é bem assim. Os tons de amarelo, laranja e vermelho surgem quando a clorofila é retirada da folhagem e armazenada na árvore, mas os carotenoides e antocíanos (substâncias que determinam essas colorações nas folhas) também acabam sendo decompostos. O carvalho, por exemplo, é uma espécie tão econômica que guarda tudo o que pode e elimina apenas as folhas marrons. Já as faias perdem folhas de tonalidade marrom e amarelada, ao passo que as cerejeiras perdem folhas vermelhas.

Existem espécies de coníferas que descartam folhas da mesma forma que as frondosas: as do gênero *Larix*, como o lariço e a metassequoia. Não se sabe por que elas são as únicas coníferas a apresentar esse comportamento. Talvez a corrida evolucionária pelo melhor método de sobrevivência ao inverno ainda não tenha sido decidida, pois ao manter as agulhas essas espécies contam com uma vantagem inicial na primavera: não precisam esperar as agulhas voltarem a crescer. Muitos brotos novos secam, pois o solo continua congelado, mas a copa já está aquecida pelo sol da primavera, e a árvore começa a realizar a fotossíntese. Como não conseguem impedir a própria transpiração, as agulhas acabam murchando assim que percebem o perigo, sobretudo as que nasceram no último ano e ainda não têm uma camada de cera espessa.

As demais espécies de coníferas trocam as agulhas, pois também precisam se desfazer do que é desnecessário. Descartam as agulhas mais antigas, já danificadas e improdutivas. A pícea mantém as agulhas por 10 anos, o abeto por 6 e o pinheiro por 3, o que é possível descobrir de acordo com o espaço entre os ramos em seus galhos e sua média de crescimento anual. Os pinheiros perdem um quarto de suas agulhas verdes no outono, por isso podem parecer mais "pelados" do que outras coníferas no inverno. No entanto, com a primavera nascem os novos brotos, e a copa volta a ter uma aparência saudável.

23. Noção de tempo

O desfolhamento no outono e o nascimento dos brotos na primavera são processos naturais das florestas, mas ao mesmo tempo verdadeiros milagres, pois para realizá-los as árvores precisam de algo imprescindível: noção de tempo. Como elas sabem que o inverno chegou ou que um aumento de temperatura não é uma curta estiagem numa estação fria, mas o prenúncio da primavera?

Parece lógico que o aumento da temperatura serve de gatilho para o nascimento das folhas, pois a água congelada dentro do tronco derrete e pode voltar a fluir. No entanto, o surpreendente é que quanto mais frio o inverno, mais cedo os brotos começam a nascer. Pesquisadores da Universidade Técnica de Munique investigaram esse processo em um laboratório com temperatura controlada.[43] Descobriram, por exemplo, que quanto mais quente o inverno, mais tarde os galhos da faia ficam verdes – o que, à primeira vista, parece ilógico, pois muitas outras plantas (por exemplo, as rasteiras) começam a crescer e até a florescer ainda no auge do inverno. Talvez elas precisem do frio para ter uma hibernação revigorante e por isso não despertam no momento correto na primavera. Em tempos de mudança climática, isso é uma desvantagem, pois outras espécies menos cansadas formam sua folhagem antes e largam na dianteira.

É normal que mesmo nos invernos mais quentes carvalhos e faias não produzam folhagem verde. Mas como essas árvores sabem que ainda não é hora de formar brotos? As árvores frutíferas nos dão uma pista para desvendar esse mistério: acontece que as árvores sabem contar. Elas só consideram que a primavera de fato chegou quando o número de dias quentes ultrapassa determinado limite.[44] Portanto, por si sós os dias quentes não anunciam a primavera.

Além disso, a queda e a formação das folhas não dependem apenas da temperatura, mas também da duração do dia. A faia, por exemplo, só começa a brotar quando há pelo menos 13 horas de claridade. Essa informação é surpreendente, pois para fazer essa conta as árvores precisariam ser capazes de enxergar. E o primeiro lugar no qual devemos procurar esses "olhos" são as folhas – que contam com uma espécie de célula solar que as equipa para captar ondas luminosas. E elas de fato captam a luz solar no verão. No entanto, durante parte da primavera os galhos ainda não têm folhas. Portanto, ainda não há uma explicação para esse fenômeno, mas em tese os brotos ainda não nascidos contam com essa capacidade. Dentro deles há folhas dobradas, e eles são recobertos com escamas marrons para impedir que ressequem. Quando o broto sair, segure-o contra a luz e observe as escamas com atenção: elas são translúcidas. Provavelmente basta elas captarem uma quantidade mínima de luz para registrar a duração do dia, como se sabe pela análise das sementes de muitas plantas daninhas, que só precisam do brilho tênue do luar para germinar. O tronco da árvore também pode registrar a luz. Na casca da maioria das espécies há brotos minúsculos, que permanecem adormecidos. Assim que o tronco vizinho é derrubado, o aumento da incidência de luz desencadeia a abertura desses brotos, para que a árvore possa captar a luz adicional.

Como as árvores percebem que os dias quentes são do fim da primavera, e não do verão? Nesse caso, é a combinação de duração do dia e temperatura que desencadeia a reação correta. As árvores são capazes de interpretar o aumento da temperatura como a primavera e a queda como o outono. É por isso que espécies como o carvalho e a faia, típicas do hemisfério Norte, se adaptam ao hemisfério Sul. E isso comprova outra coisa: as árvores devem ter memória. Do contrário, como poderiam estabelecer uma comparação? Como conseguiriam contar os dias quentes?

Em anos especialmente quentes, com temperaturas altas no outono, algumas árvores perdem a noção do tempo. Seus brotos surgem no outono, e alguns espécimes até produzem folhas. Esse lapso pode prejudicar o broto quando chegam geadas tardias. O tecido dos galhos novos ainda não se lignificou (não se transformou em madeira dura para suportar o inverno), e a folhagem verde está indefesa, por isso congela. E o pior: os botões da primavera seguinte morrem, por isso a árvore precisa criar substitutos, um processo no qual gasta bastante energia. Ou seja, a árvore desatenta gasta todas as suas energias e começa a estação seguinte em desvantagem.

No entanto, as árvores precisam ter noção de tempo não apenas para a folhagem. Esse conhecimento é igualmente importante para a procriação. Se a semente cair no solo durante o outono, não conseguirá germinar de imediato, pois enfrentará dois problemas: por um lado, as mudas sensíveis não conseguem lignificar e acabam congelando. Por outro, no inverno cervos e corças quase não encontram o que comer, por isso atacam os brotos verdes e frescos. O ideal é que nasçam na primavera, com todas as outras espécies. Logo, pode-se concluir que as sementes registram mudanças de temperatura, e seus brotos só se atrevem a sair da casca quando há períodos de calor prolongados após o frio.

Muitas sementes não precisam de um mecanismo de contagem tão sofisticado para fazer as folhas brotarem. É o caso dos frutos da faia e do carvalho, que são enterrados por gaios e esquilos a alguns centímetros de profundidade no solo. Debaixo da terra o aumento de temperatura só se intensifica quando a primavera chega de vez. As sementes mais leves, como as de bétula, precisam tomar mais cuidado, pois com suas asinhas elas podem ser carregadas pelo vento. Se caírem debaixo da árvore-mãe, não haverá problema, pois ficarão protegidas. No entanto, se um vento as carregar, elas poderão ficar expostas à luz solar direta, e, como as árvores adultas, precisarão registrar a duração dos dias e aguardar o momento certo de se desenvolver.

24. Personalidade

Na estrada entre meu vilarejo natal, Hümmel, e o vizinho, no vale do rio Ahr, há três carvalhos. São um elemento marcante na paisagem. A distância entre eles é estranhamente curta: os troncos centenários são separados uns dos outros por poucos centímetros. Eu os considero um objeto ideal de observação, pois as condições ambientais para os três são idênticas. Tipo de solo, oferta de água, microclima local: todos esses elementos não variam três vezes no espaço de 1 metro. Portanto, se os carvalhos se comportam de maneira diferente uns dos outros, pode ser apenas por uma questão de características individuais.

Quando as árvores estão desfolhadas no inverno ou frondosas no verão, os motoristas que passam pela estrada nem percebem que são três. Suas copas se entremeiam e formam um único domo. Os troncos tão próximos também podem ter nascido de uma única raiz, como acontece com árvores derrubadas que voltam a brotar. No entanto, é no outono que cada elemento se comporta de um jeito. Enquanto o carvalho da direita se tinge das cores da estação, o do meio e o da esquerda permanecem verdes. Somente depois de uma ou duas semanas é que acompanham o da direita e hibernam. Mas, se o local é idêntico, qual pode ser o motivo dessa diferença? A resposta é que o momento em que a árvore começa a desfolhar é uma questão de personalidade.

As árvores frondosas precisam desfolhar, mas quando é o momento ideal? Elas não podem prever se o inverno será forte ou ameno. Elas registram a diminuição da duração dos dias e a queda da temperatura – isso quando elas caem, pois com frequência o ar quente do fim do verão continua soprando durante o outono, situação que faz os carvalhos encararem um dilema: devem aproveitar os dias quentes para realizar a fotossíntese e armazenar algumas calorias extras produzidas em forma de açúcar ou serem cautelosos e desfolhar, para se prevenirem de possíveis geadas que os obriguem a hibernar?

As três árvores tomam decisões diferentes. A da direita é um pouco mais medrosa – ou, para expressar essa postura de forma positiva, mais sensata. De que adianta a energia extra se ela não puder desfolhar e vier a correr risco de vida no inverno? Assim, ela se livra das folhas rapidamente e dorme. Já os outros dois carvalhos são mais corajosos. Quem sabe como será a próxima primavera? Quanta energia precisarão gastar durante uma infestação de insetos e quanta energia restará depois? Seguindo essa orientação, permanecem mais tempo verdes e armazenam o máximo de energia possível. Até agora esse comportamento mais arrojado tem valido a pena, mas quem sabe até quando? Com as mudanças climáticas, o outono anda cada vez mais quente, e esse jogo arriscado com a folhagem se estende até novembro, meados do outono no hemisfério Norte, mas as tempestades de outono começam pontualmente em outubro, o que aumenta o risco de queda de árvores que mantêm a copa intacta. Acredito que no futuro as árvores conservadoras terão mais chance de sobreviver.

Esse fenômeno acontece com árvores frondosas mas também se observa no abeto-branco, uma conífera. Segundo o manual de etiqueta das árvores, ela precisa ser longilínea e reta, sem galhos na metade inferior do tronco. Isso tem sentido, pois na parte de baixo da árvore incide menos luz. E, se não há luz a processar, as partes desnecessárias do corpo (que só consomem nutrientes) simplesmente descansam. Algo semelhante ocorre com nossos músculos – quando não utilizados, perdem volume para economizar na queima de calorias. No entanto, as árvores não têm como remover os galhos, e em vez disso os deixam morrer. O resto do trabalho é realizado pelos fungos, que atacam a madeira. Em algum momento, os galhos entram em decomposição, quebram e caem no chão para virar húmus.

Nesse momento surge um problema para a árvore: os fungos entram no tronco pelo ponto onde o galho quebrou, pois ali não há mais casca. Se o galho que caiu não for grosso demais (até cerca de 3 centímetros de diâmetro), em poucos anos a casca volta a crescer. A árvore consegue saturar a região com água e matar os fungos. No entanto, se for muito grosso, a árvore demorará mais para fechar a casca. O ferimento permanecerá aberto por décadas e será a porta de entrada para os fungos. O tronco entrará em decomposição e, no mínimo, ficará instável. Por isso é importante que a árvore tenha apenas galhos finos na parte inferior do tronco. Se eles caírem, não conseguirão voltar a crescer em hipótese alguma.

Existem, porém, muitas árvores que criam galhos grossos na parte inferior do tronco. Quando uma vizinha morre, elas formam novos brotos para captar a luz extra. Deles se formam galhos grossos, que num primeiro momento proporcionam uma vantagem para a árvore, que realiza a fotossíntese em dois lugares: na copa e no tronco. Mas cerca de 20 anos depois as árvores vizinhas terão estendido sua copa a ponto de preencher a lacuna deixada pela árvore morta. Com isso, outra vez a luz deixa de incidir na parte inferior da árvore, e o galho grosso morre. É nesse momento que a avidez por sol se volta contra ela, pois ela passa a ser alvo dos fungos.

Basta um passeio pela floresta para comprovar que cada árvore tem um comportamento único. Observe as que crescem ao redor de uma pequena clareira. Todas recebem o mesmo estímulo para cometer um erro e formar novos galhos no tronco, mas apenas parte delas sucumbe à tentação. O restante mantém a casca intocada e lisa, evitando o risco.

25. Doenças

Do ponto de vista estatístico, a maioria das espécies de árvores tem potencial para viver muitos anos. Na área da nossa reserva que serve como cemitério, os clientes sempre me perguntam quanto tempo pode viver o espécime que escolheram para abrigar as cinzas. Em geral procuram faias ou carvalhos, que, segundo informações atualizadas, vivem entre 400 e 500 anos. Mas uma estatística não tem valor algum diante de um caso isolado (o que também vale para o homem).

O caminho natural de uma árvore pode mudar a qualquer momento, por diversos motivos. Sua saúde depende da estabilidade da floresta como ecossistema. Temperatura, umidade e quantidade de luz não podem sofrer mudanças abruptas, pois as árvores têm capacidade de reação muito lenta. Ainda assim, mesmo quando todas as circunstâncias externas são ideais, sempre há insetos, fungos, bactérias e vírus à espreita, esperando a chance de finalmente atacar.

Em condições normais, a árvore emprega suas energias com precisão. Grande parte é usada em atividades da vida cotidiana. Ela precisa respirar, "digerir" os nutrientes, abastecer os fungos amigos com açúcar, crescer um pouco todo dia e manter uma reserva de energia para se defender de organismos inimigos. Essa reserva pode ser ativada a qualquer momento e é composta de substâncias defensivas que variam de acordo com a espécie. São os fitocidas, que têm efeito antibiótico e têm sido objeto de estudos impressionantes.

Já em 1956, o biólogo Boris Tokin, de São Petersburgo, afirmou que, se pusermos uma pitada de agulha de abeto ou pinheiro ralada em uma gota d'água contaminada por protozoários, eles morrerão em menos de 1 segundo. No mesmo artigo Tokin revela que o ar nas florestas jovens de pinheiros quase não contém germes por causa dos fitocidas liberados por suas agulhas.[45] Ou seja, as árvores conseguem desinfetar seu entorno, mas isso não é tudo. As substâncias liberadas pela nogueira são tão eficazes contra insetos que existe uma recomendação para que os bancos de jardim fiquem sob a copa de uma nogueira. A chance de ser picado por um mosquito ali é mínima. O fitocida das coníferas também tem um odor agradável: é o aroma marcante de floresta que sentimos com mais intensidade em dias quentes de verão.

Quando o equilíbrio entre as energias despendidas no crescimento e na defesa é comprometido, a árvore pode adoecer. E essa mudança pode acontecer, por exemplo, quando uma vizinha morre. De uma hora para outra, a copa passa a receber muito mais luz, e a árvore realiza mais fotossíntese. Essa mudança de atitude tem muito sentido, pois uma chance como essa surge apenas uma vez a cada século. A árvore que de repente é banhada pela luz solar deixa tudo de lado e se concentra apenas em crescer. Na verdade, isso acaba se tornando uma necessidade, pois suas vizinhas fazem o mesmo, de forma que a lacuna deixada pela árvore morta se fecha em apenas 20 anos. Os galhos se alongam depressa – em vez de poucos milímetros, crescem até 50 centímetros por ano.

Esse desequilíbrio no uso da energia deixa a árvore indefesa contra doenças e parasitas. Com sorte, tudo correrá bem, e quando a lacuna se fechar sua copa terá aumentado. Quando isso acontecer, ela fará uma pausa e recuperará o equilíbrio. O problema é se algo der errado nesse frenesi de crescimento. É possível que um fungo sorrateiro ataque um toco de galho e entre no tronco pela madeira morta, ou que um besouro escolitídeo perceba que ela não se defendeu. Com isso, o tronco aparentemente saudável passa a ser cada vez mais um alvo de predadores, pois não tem energia para se defender.

Se o ataque é na copa, logo surgem os primeiros sinais. Nas árvores frondosas, os galhos mais finos morrem de uma hora para outra. Com isso, os galhos principais, mais grossos, perdem a proteção lateral. As coníferas mostram os primeiros sinais quando passam a formar menos agulhas por ano. O pinheiro doente não fica mais com três, mas com apenas duas gerações de agulhas nos galhos, e com isso sua copa diminui. No abeto, os galhos mais finos começam a pender dos mais grossos. Em pouco tempo, grande parte da casca se solta do tronco, e o processo pode ser rápido. Como um balão esvaziado, a copa murcha e se aproxima da morte, e os galhos mortos são levados pelas tempestades de inverno. O efeito é mais nítido no abeto, pois o topo da árvore murcha e cria um forte contraste com sua parte inferior, ainda verdejante e cheia de vitalidade.

Toda árvore está condenada a crescer; por isso, quer queira, quer não, forma um anel de madeira no tronco. Durante o período de vegetação, em que as folhas brotam, o câmbio (a camada celular fina entre a casca e o alburno) envia novas células de madeira para dentro da árvore e de casca para sua parte externa. Se a árvore não puder engrossar, morre. Ao menos era isso que se dizia desde muito tempo atrás, pois pesquisadores fizeram uma descoberta interessante na Suíça. Em uma investigação detalhada, constatou-se que alguns pinheiros que pareciam extremamente saudáveis e estavam repletos de agulhas verdes não formavam anéis havia mais de 30 anos.[46]

Como os pinheiros poderiam estar mortos e mesmo assim exibir agulhas verdes? Eles haviam sido atacados pelo agressivo fungo *Heterobasidion annosum*, que matou o câmbio. Apesar de tudo, as raízes continuaram bombeando água pelos dutos do tronco até a copa e fornecendo às agulhas a água necessária para a sobrevivência. E quanto às raízes? Quando o câmbio morre a casca também morre, e árvore não é capaz de bombear a solução de açúcar das agulhas para a raiz. Acontece que, provavelmente, os pinheiros vizinhos saudáveis estavam fornecendo nutrientes para os espécimes mortos, como já expliquei no Capítulo 1.

Além das doenças, muitas árvores sofrem feridas pelos mais diversos motivos, como a queda de uma vizinha. Quando uma árvore cai numa floresta densa, é impossível evitar que se choque com as que se encontram ao redor. No inverno, quando a casca está relativamente bem presa à madeira, as consequências não são graves – no máximo, alguns galhos se quebram, dano que desaparece em poucos anos.

Já os ferimentos no tronco são mais sérios, e eles acontecem predominantemente no verão. Nesse período, o câmbio fica cheio d'água, transparente e escorregadio. Não é preciso fazer muita força para desprender essa camada externa da árvore. Quando uma árvore cai, seus galhos podem abrir feridas de metros de comprimento nas vizinhas, e essa madeira úmida é um local ideal para a proliferação de fungos, que em minutos se instalam na abertura. Logo eles desenvolvem os micélios, usados para se alimentarem da madeira e dos nutrientes da árvore.

O alburno, camada celular após o câmbio, está úmido demais para os fungos e freia seus avanços. No entanto, a região fica exposta ao ar, e é uma questão de tempo para que a superfície externa do alburno comece a secar. O fungo avança conforme a superfície vai perdendo umidade, mas ao mesmo tempo a árvore tenta fechar o ferimento. Para isso, estimula o crescimento rápido do tecido ao redor da região. Por ano, cobre até 1 centímetro de profundidade de madeira e precisa concluir o trabalho em até cinco anos. Depois, forma uma nova casca que tampa o ferimento. Por último, volta a umedecer a madeira danificada, matando o fungo.

No entanto, se o fungo tiver ultrapassado o alburno e chegado ao cerne (camada interna do tronco, entre o alburno e a medula), será tarde demais. Essa parte é composta de madeira morta e seca, ideal para o fungo, pois a árvore não tem defesas nessa camada, e sua vida passa a depender da extensão do ferimento. Se ultrapassar 3 centímetros, será crítico.

Mesmo, porém, que o fungo vença a batalha e se instale no interior do tronco, ainda restará uma esperança, pois o fungo tem ação lenta – pode levar um século para devorar a árvore e transformá-la em matéria orgânica. Nesse meio-tempo a árvore não perde a estabilidade, pois o fungo não se espalha pelos anéis anuais do alburno, úmidos demais para ele.

Em casos extremos, a árvore fica oca como uma chaminé, mas mesmo assim permanece estável. A árvore sente dor, pois suas camadas internas de madeira são inativas e compostas em sua maioria por células mortas, e, embora ativos, os anéis de crescimento contêm água e são úmidos demais para os fungos.

Quando tudo dá certo a árvore fecha os ferimentos do tronco e segue sua vida. No entanto, em invernos muito rigorosos, os antigos ferimentos podem se fazer notar. As árvores têm uma tensão interna em geral uniforme, mas rachaduras e ferimentos acabam com essa homogeneidade, e a tensão passa a ser distribuída de maneira irregular pelo tronco. Quando faz muito frio, a madeira congela, aumentando a diferença de tensão em árvores que já tiveram ferimentos. Então, de repente, um estalo ressoa como um tiro de rifle pela floresta, e o tronco se parte no ponto da ferida.

26. E fez-se a luz

Em vários momentos já falamos sobre a luz do sol e sua importância para a floresta. Isso parece óbvio, afinal as árvores são plantas e precisam realizar a fotossíntese para sobreviver. Nos jardins que nós mesmos cultivamos o sol sempre brilha o suficiente e deixa de ser uma questão, por isso a água e os nutrientes armazenados no solo se tornam mais decisivos para o crescimento das plantas. Nessa realidade doméstica, não fica claro que a luz é mais importante do que os dois outros fatores.

Na floresta, porém, cada raio solar é disputado e cada espécie se especializa em crescer em um nicho específico para receber ao menos um pouco de energia, pois o andar superior é ocupado por faias, pinheiros ou abetos, que absorvem até 97% da luz solar a seu próprio modo. É uma situação cruel e impiedosa, mas no fim das contas cada espécie tenta obter todos os recursos possíveis. As árvores só vencem essa corrida pelo sol porque conseguem formar troncos longos e estáveis. No entanto, isso só acontece na velhice, quando já armazenaram uma enorme quantidade de energia.

Para se tornar adulta, ao longo de 150 anos uma faia precisará de açúcar e celulose equivalentes a um campo de trigo com 10 mil metros quadrados. Dessa forma, exceto por outras árvores, quase nenhuma outra planta consegue alcançar a faia, portanto ela deixa de ter preocupações pelo resto da vida. Sua própria prole é projetada para sobreviver com a pouca luz que a árvore ancestral não absorve e é alimentada pela mãe. Mas para as outras espécies da floresta essa realidade não se aplica, e portanto elas precisam pensar em outras saídas.

Algumas plantas florescem antes do tempo. No começo da primavera, o solo marrom ao pé das velhas árvores frondosas é coberto por um mar de flores de anêmona, que proporcionam todo um encanto à floresta. Às vezes, entre elas surgem flores amarelas ou arroxeadas, como a anêmona-hepática, cujo nome vem das folhas que lembram o fígado humano. As anêmonas-hepáticas são obstinadas. Querem ficar para sempre no lugar onde brotam, e demoram a ganhar terreno espalhando as sementes, motivo pelo qual só existem em florestas ancestrais de frondosas.

Elas parecem não se preocupar com quanta energia gastam para florescer. O motivo para o desperdício é a pequena janela de tempo em que usam a energia. Quando o sol da primavera começa a aumentar a temperatura, as frondosas ainda estão hibernando. Até meados da primavera, as anêmonas e outras espécies semelhantes aproveitam sua chance e, sob as enormes árvores ainda desfolhadas, produzem energia para o ano todo e armazenam os nutrientes nas raízes. Além disso, precisam se reproduzir – um gasto adicional de energia. Realizar tudo isso em um ou dois meses de fato constitui um pequeno milagre, pois, assim que as árvores começam a florescer, o solo volta a ficar escuro, e as flores se veem mais uma vez forçadas a fazer uma pausa de 10 meses.

Quando comentei que quase nenhuma outra planta alcança a altura das árvores, há uma ênfase no "quase", pois algumas, depois de muito tempo e esforço considerável, conseguem viver em suas copas.

A hera é um exemplo de planta que realiza esse feito: começa a vida como uma pequena semente ao pé de espécies de árvores que permitem a passagem de luz pelos galhos, como pinheiros ou carvalhos, e formam um verdadeiro tapete no solo. Um dia, porém, um broto começa a subir no tronco. A hera é a única planta centro-europeia que lança mão de raízes aéreas para se prender à casca da árvore. E por muitas décadas ela continua subindo até finalmente alcançar a copa, onde pode viver por séculos, embora seja mais fácil encontrar espécimes antigos em penhascos ou muros. Segundo a literatura especializada, essa vegetação não prejudica as árvores. Após analisar seu comportamento na nossa reserva, não posso confirmar essa informação. Ao contrário: especialmente o pinheiro, que precisa de muita luz para suas agulhas, não gosta da concorrência. Aos poucos, os galhos começam a morrer, e em pouco tempo a árvore também morre. Além disso, o ramo principal da hera envolve o tronco e pode alcançar o diâmetro de uma árvore de tronco fino. Com isso, sufoca o pinheiro como uma jiboia.

Existe outra espécie estranguladora de árvores: a madressilva. Com suas lindas flores que lembram lírios, a madressilva escala árvores mais jovens, prendendo-se com tanta firmeza que, conforme crescem, retorcem o tronco e deixam marcas profundas e espiraladas. No entanto, a árvore que abriga a madressilva não tem vida longa. Estrangulada, passa a crescer mais devagar e logo é ultrapassada por outras árvores próximas. E, mesmo que cresça, durante uma tempestade a parte afetada pode quebrar.

Já o visco se poupa da árdua tarefa de escalar a árvore e pula direto para o topo. Para isso, conta com a ajuda dos tordos, que deixam as pegajosas sementes de visco na copa da árvore quando afiam o bico em seus galhos. Mas como a semente de visco sobrevive na copa sem contato algum com o solo para obter água e nutrientes? Aproveitando os recursos da própria árvore na qual se instala. Para ter acesso, o visco enterra a raiz no galho e suga os nutrientes. Ele ainda assim realiza a fotossíntese, de forma que a árvore hospedeira perde "apenas" água e minerais. Por isso, os cientistas chamam essa planta de hemiparasita. Mas para a árvore isso não faz muita diferença, pois com o passar do tempo o visco se alastra pela copa.

É possível reconhecer as árvores afetadas (pelo menos as frondosas) no inverno: algumas ficam completamente cobertas pelo visco, e quando a situação chega a esse ponto passa a ser preocupante. A sangria contínua enfraquece a árvore e cada vez mais a priva de luz. Como se não bastasse, as raízes do visco enfraquecem a estrutura da madeira dos galhos, que acabam quebrando depois de alguns anos, provocando a redução da copa. Às vezes, a árvore não aguenta e morre.

As plantas que usam a árvore apenas como suporte, como o musgo, são menos prejudiciais. Muitas espécies não têm raízes, mas pequenas estruturas que se prendem à casca com os estolões (espécie de caule rastejante que pode ser superficial ou subterrâneo, permitindo que a planta se reproduza a partir de cada elemento). Conseguem sobreviver captando pouca luz e poucos nutrientes e sem absorver água do solo ou da árvore, mas para isso precisam ser austeras.

O musgo armazena água do orvalho, da névoa ou da chuva. No entanto, em geral, isso não é suficiente para ele, pois a copa das árvores coníferas funciona como um guarda-chuva, e os galhos das frondosas conduzem a água direto para as raízes. No caso da chuva é simples: ele se instala no tronco, por onde a água escorre depois da chuva. Isso não acontece de maneira homogênea, pois a maioria das árvores é um pouco inclinada. Na parte superior da inclinação forma-se um curso de água, e é nesse ponto que o musgo se fixa. É se comum se dizer que o lado da árvore mais afetado pelo musgo indica o norte, geralmente o mais escuro e úmido, com menos incidência de sol. No entanto, no meio da floresta, onde quase não venta, na maior parte das vezes a chuva cai na vertical, o que pode alterar a localização do musgo. Além disso, nem toda árvore é perfeitamente reta; cada espécime se curva em uma direção, mesmo que sutilmente. Ou seja: a posição da cobertura de musgo só serve para confundir.

Se a casca for rugosa, a umidade se manterá por mais tempo entre as pequenas fendas, que começam a se formar na parte inferior do tronco e, com o passar do tempo, sobem na direção da copa. Por isso, em árvores mais jovens, o musgo se localiza a poucos centímetros do solo, ao passo que nas mais velhas ocupa toda a metade inferior do tronco. O musgo não prejudica a árvore e requer pouca água. Além disso, libera a umidade de volta na atmosfera e influencia positivamente o clima florestal.

Quanto aos nutrientes, se o musgo não os obtém no solo, resta-lhe apenas o ar. Ao longo do ano muita poeira atravessa as florestas. Nesse período uma árvore adulta pode filtrar mais de 100 quilos desse material, que escorre pelo tronco com a água da chuva. O musgo absorve a mistura e filtra o que vai utilizar.

Se os nutrientes não são um problema, resta apenas a questão da luz. Em matas iluminadas, como as de pinheiro e de carvalho, não há problema, mas isso muda nas matas escuras de abeto. Apenas as plantas mais austeras se adaptam a esse território, por isso não é comum encontrar musgo nas matas jovens e densas de coníferas. Só à medida que a árvore envelhece é que começam a surgir lacunas no alto das copas, e com isso o sol chega em quantidade suficiente ao solo para permitir que ele apareça.

Nas matas de faia o musgo pode se valer dos períodos em que as árvores estão desfolhadas na primavera e no outono. No verão o chão volta a ficar escuro, mas o musgo suporta períodos de fome e sede. Às vezes, não chove uma vez sequer durante meses.

Experimente passar a mão em uma cobertura de musgo nessa época: ele fica tão seco que chega a estalar. A maioria das espécies de plantas simplesmente morreria, mas não o musgo. Basta uma chuva forte para que ele se encharque e continue a viver.

O líquen é ainda mais austero do que o musgo. Essa pequena vegetação verde-acinzentada é uma simbiose entre fungos e algas, que, para se manterem unidos, precisam de um suporte, que na floresta é fornecido pelas árvores. O líquen sobe na árvore muito mais do que o musgo, até que seu crescimento extremamente lento é refreado pelas folhas da copa. Com frequência, só depois de muitos anos ele consegue formar uma capa mofada que cobre a casca da árvore. Quando visitantes da nossa floresta veem árvores com líquen perguntam se ela está doente. Não é o caso: o líquen não causa nenhum prejuízo à árvore, que provavelmente é indiferente à presença dele.

O líquen compensa seu crescimento a passo de tartaruga com uma enorme longevidade: vive muitos séculos e se mostra perfeitamente adaptado ao ritmo lento das florestas ancestrais.

27. Crianças de rua

Por que as sequoias-gigantes dos Estados Unidos são sempre mais altas do que os espécimes europeus? Embora muitas sequoias do Velho Mundo já tenham 150 anos, nenhuma delas ultrapassou 50 metros de altura. Em sua terra natal, a Costa Oeste americana, elas facilmente alcançam o dobro da altura.

Poderia se pensar que isso é natural, pois elas ainda são jovens e seu crescimento é, de fato, lento. Mas isso não condiz com o diâmetro das sequoias europeias mais velhas, que muitas vezes ultrapassa 2,5 metros (medidos a cerca de 1,5 metro do solo). Ou seja, elas conseguem crescer, mas parece que estão gastando as energias da maneira errada.

Seu hábitat pode nos dar uma pista do motivo disso. Com frequência, a sequoia vive em parques urbanos, onde plantamos árvores como troféus exóticos de príncipes e políticos. Basicamente o que falta a ela é uma floresta a seu redor, ou, para ser mais exato, uma comunidade. Tendo em vista que ela chega a viver milênios, com 150 anos a sequoia pode de fato ser considerada uma criança. Porém, na Europa, ela cresce longe da terra natal e dos pais. Sem parentes e uma infância feliz, precisa passar a vida totalmente sozinha.

E quanto às outras árvores do parque? Elas não formam algo parecido com uma floresta, não podem fazer o papel dos pais da sequoia? Acontece que elas costumam ser plantadas ao mesmo tempo, por isso não podem proteger nem ajudar a sequoia. Além disso, as espécies são diferentes. Permitir que sequoias sejam criadas por tílias, carvalhos ou faias seria como deixar bebês humanos aos cuidados de ratazanas, cangurus ou jubartes. Não funcionaria, por isso a sequoia precisa se virar sozinha, longe de um clima de floresta aconchegante, úmido e sem ventos e de uma árvore-mãe que a alimente, a vigie e não a deixe crescer rápido demais.

Como se tudo isso não bastasse, na maioria dos casos o solo dos parques é um verdadeiro desastre para a árvore. Enquanto as florestas ancestrais contam com uma terra macia, arenosa, rica em húmus e sempre úmida para as raízes delicadas, os parques têm um subsolo duro, compactado e pobre em nutrientes, resultante das ocupações urbanas. Além disso, as pessoas gostam de se recostar na árvore, tocar sua casca e descansar à sombra da copa. Ao longo das décadas, esse repisar contínuo compacta ainda mais o solo a seu redor, o que faz a água fluir rápido demais. Com isso, no inverno a árvore não consegue formar uma reserva que dure o verão inteiro.

A própria mecânica da plantação acaba influenciando a vida da árvore, que durante anos é preparada para ser levada do viveiro até seu local definitivo. Todo outono a raiz é podada no canteiro para que permaneça compacta e fácil de arrancar. Uma árvore de floresta com 3 metros de altura soma 6 metros de raízes no subsolo, mas com a poda esse tamanho é reduzido a 50 centímetros. Para que a copa não morra de sede, também é podada. Nenhuma dessas medidas é tomada para tornar a árvore mais saudável, apenas para facilitar seu manejo. Com a poda, infelizmente, ela também perde suas estruturas semelhantes a um cérebro, localizadas nas extremidades sensíveis das raízes. Com isso, a árvore fica desorientada, pois não consegue aprofundar suas raízes e produz uma placa de raízes achatada, perdendo assim grande parte de sua capacidade de absorção de água e nutrientes.

No início, nada disso parece incomodar a árvore. Ela consome todo o açúcar que pode, pois debaixo do sol forte realiza toda a fotossíntese possível. É muito fácil superar a falta de nutrientes providos pela árvore-mãe. Nos primeiros anos, ela também não é afetada pelo problema da absorção da água no solo duro, afinal é recém-chegada e por isso cuidada com muito carinho e molhada pelos jardineiros durante os períodos de estiagem.

No entanto, desde cedo o maior problema é a falta de uma educação rigorosa. A árvore não tem quem lhe diga "Vá devagar", ou "Espere chegar aos 200 anos", nem é castigada pela falta de luz quando não cresce da maneira correta. A árvore jovem pode fazer o que quiser. E, como se estivesse numa corrida, sai em disparada e cresce a olhos vistos todo ano. Contudo, a partir de determinado tamanho, as vantagens da infância parecem sumir. Regar árvores de 20 metros de altura exigiria bastante água e muito tempo. Para umedecer completamente as raízes, os jardineiros precisariam gastar muitos metros cúbicos de água por árvore.

No primeiro momento, as sequoias não notam. Viveram décadas na fartura e fizeram o que queriam. Seu tronco grosso é a prova do excesso de fotossíntese. Na juventude não importa que as células internas sejam muito grandes, contenham muito ar e, portanto, sejam vulneráveis aos fungos.

A presença de galhos laterais também mostra como a árvore vem se comportando de maneira errada. Árvores de parque desconhecem o manual de etiqueta da floresta, que diz que na parte inferior dos troncos é preciso ter galhos finos – ou simplesmente não tê-los. Graças a uma forte incidência de luz que chega ao chão, a sequoia forma galhos grossos na lateral do tronco, que crescem lembrando o braço de um fisiculturista. Em geral, os jardineiros cortam os galhos abaixo de 2 ou 3 metros de altura para deixar a visão do parque livre para os visitantes. Se comparada à floresta ancestral, onde os galhos mais grossos só são permitidos apenas a partir de 20 ou, em alguns casos, 50 metros de altura, a diferença é gritante.

No fim, a árvore forma um tronco curto, grosso e totalmente coberto pela copa. Há casos extremos de espécimes de parque que parecem ser apenas uma enorme copa. Suas raízes penetram menos de 50 centímetros no solo compacto e quase não oferecem sustentação, uma situação arriscada para espécimes de tamanho normal, que ficariam instáveis. Numa floresta antiga, em que as raízes são profundas, o centro de gravidade da sequoia é baixo. Por isso, ela não perde o equilíbrio facilmente durante uma tempestade e é bastante estável.

Quando a árvore ultrapassa o primeiro século de vida (o equivalente à nossa idade escolar), acaba a moleza. Os galhos mais altos ressecam, e, por mais que se esforcem para voltar a crescer, acabam morrendo. Como sua madeira é impregnada com um fungicida natural, a sequoia ainda resiste muitas décadas, mas ferimentos começam a surgir na casca.

Já para outras espécies de árvores a situação é bem diferente. A faia, por exemplo, reage mal quando podamos seus galhos mais grossos. No próximo passeio em um parque, atente para o fato de que quase não há árvores grandes e frondosas que não tenham sido podadas ou serradas – manipuladas de alguma forma. Muitas vezes esse "corte" (na verdade, um massacre) tem apenas fins estéticos (como nas alamedas formadas por árvores de copas idênticas).

Quando a copa é podada, as raízes recebem um duro golpe. Se grande parte dos galhos é retirada e a fotossíntese diminui, um bom percentual da raiz morre de fome. Com isso, os fungos penetram as estruturas mortas na raiz e as áreas de poda no tronco. Em poucas décadas (um piscar de olhos para uma árvore), a podridão interior passa a ser vista por fora. Partes inteiras da copa morrem, e a administração do parque decide podar a área para evitar riscos para os visitantes. Nos pontos serrados abrem-se outros ferimentos imensos. Muitas vezes a cera passada no ferimento acelera o processo de decomposição, pois por baixo dela continua bem úmido, o que é ótimo para os fungos.

Por fim, resta apenas um tronco que não tem mais salvação e um dia é cortado. Como nenhum membro da família pode acudir, o toco morre rapidamente. Pouco tempo depois, uma nova árvore é plantada, e o drama recomeça.

As árvores urbanas são como crianças de rua. E, para muitas, essa denominação cai como uma luva, pois estão plantadas perto de ruas. Nesse caso, as primeiras décadas de vida são muito parecidas com as das árvores de parque. Recebem carinho e cuidado, e às vezes são até regadas por um sistema próprio de irrigação. No entanto, quando a raiz quer continuar se expandindo, a árvore sofre seu primeiro baque, pois o solo sob a rua ou a calçada é ainda mais duro que o dos parques, porque foi compactado por máquinas. Para a árvore isso é um problema, pois as raízes das árvores de florestas não se aprofundam muito. Com isso, raramente um espécime passa de 1,5 metro, e na maioria das vezes é bem mais raso.

Na floresta esse problema não existe, afinal a árvore consegue se expandir de forma quase ilimitada. Mas à margem de uma rua não é o que acontece: a calçada limita o crescimento, e tubulações cruzam o subsolo compactado. Por isso, não é de estranhar que nesses locais sempre haja problemas com árvores: plátanos, bordos e tílias tendem a se enfiar nas tubulações de água. Só percebemos que o sistema de escoamento sofreu avarias durante uma tempestade, quando a rua alaga. Um técnico então vai ao local e usa sondas para descobrir qual árvore está causando o problema. A culpada é condenada à morte – a árvore é derrubada e sua sucessora é plantada no mesmo lugar, mas suas raízes são embarreiradas, por isso ela é impedida de imitá-la. Mas por que as árvores crescem justamente para dentro do encanamento?

Por muito tempo os engenheiros pensaram que as raízes eram atraídas pela umidade que vaza pelos encanamentos mal vedados ou pelos nutrientes nos efluentes sanitários. No entanto, um grande estudo da Universidade Ruhr, em Bochum, na Alemanha, chegou a resultados bem diferentes. Quando entrava no cano, a raiz ficava acima do nível da água e não parecia interessada nos fertilizantes. Na verdade, ela buscava o solo mais solto, arenoso, que não havia sido bem compactado. Quando o encontra, a raiz pode respirar e tem espaço para crescer. As raízes entram por acaso nas vedações entre os trechos de encanamento e ali acabam se desenvolvendo.[47] Isso significa que, quando a árvore em área urbana encontra terra tão dura quanto concreto, desespera-se e tenta expandir as raízes onde a terra não foi bem compactada. Nesse momento elas se tornam um problema para o homem. Só há uma forma de evitar que as raízes invadam o cano: compactar bem a terra a seu redor.

Numa situação dessas, é natural que tantas árvores caiam durante tempestades de verão. Na terra compactada das cidades o sistema de ancoragem subterrânea (que na natureza pode se estender por mais de 700 metros quadrados) é insignificante. Sua superfície é tão reduzida que não suporta o peso de um tronco de muitas toneladas.

Mas essas árvores precisam superar ainda mais dificuldades. O microclima urbano é fortemente influenciado pelo asfalto e pelo concreto, que armazenam calor. Mesmo nos verões quentes as florestas esfriam durante a noite, mas isso não acontece na cidade, onde ruas e prédios emanam calor absorvido durante o dia e mantêm a temperatura alta à noite. Isso deixa o ar ressecado e poluído. Além disso, as árvores não podem contar com a ajuda de muitos dos colaboradores que cuidam de seu bem-estar na floresta (como os micro-organismos que decompõem a matéria orgânica, transformando-a em húmus). Suas raízes têm poucos fungos para ajudá-las na coleta de água e nutrientes (micorriza).

Portanto, as árvores urbanas precisam enfrentar sozinhas condições bastante precárias. Como se tudo isso já não bastasse, também têm que lidar com "fertilizantes não solicitados", sobretudo de cães, que para demarcar território erguem a perna em cada árvore que encontram, mas acabam queimando o tronco e podem até matar a raiz com sua urina.

O efeito é semelhante ao do sal quando usado para derreter a neve ao redor da árvore. Dependendo do rigor do inverno, pode haver acúmulo de mais de 1 quilo de neve por metro quadrado de solo. Além disso, como as agulhas das coníferas permanecem nos galhos durante o inverno, precisam lidar com o sal lançado pelos pneus dos carros que passam pelas pistas próximas. Pelo menos 10% do sal cai nas árvores e provoca queimaduras: são pequenos pontos amarelos e marrons nas agulhas das coníferas. Eles diminuem a capacidade de fotossíntese da agulha no verão seguinte e, com isso, enfraquecem a árvore afetada.

Esse enfraquecimento funciona como uma porta de entrada para as pragas. As cochonilhas e os pulgões têm a vida facilitada, pois as árvores de rua têm recursos limitados para se defender. Além disso, as temperaturas são mais elevadas nas áreas urbanas, e o verão quente e o inverno ameno favorecem os insetos, que sobrevivem em maior quantidade. Uma espécie em particular representa uma ameaça à população: a processionária-do-pinheiro.

Ela se protege dos predadores com uma penugem espessa que a reveste durante o crescimento. Essa praga é temida por seus pelos urticantes que se soltam ao toque, perfuram a pele e liberam substâncias que provocam uma reação semelhante à da urtiga, causando coceiras, pruridos e até reações alérgicas mais fortes.

Essa espécie pode acabar com o verão inteiro de uma cidade, mas é naturalmente rara. Poucas décadas atrás fazia parte da lista de espécies ameaçadas de extinção, mas hoje é vista como uma praga a ser eliminada em todos os lugares. Há relatos de explosões populacionais nos últimos 200 anos. O Ministério do Meio Ambiente alemão relaciona essa proliferação não à mudança climática com o aumento contínuo da temperatura, mas à oferta de alimentos para a mariposa, que adora a copa quente das árvores banhadas pelo sol.[48] Na floresta isso é mais raro, pois o carvalho cresce em meio às faias e, no máximo, alcança a luz na ponta dos galhos. Já na cidade o carvalho fica exposto ao sol o tempo todo, e a lagarta aproveita. Portanto, como na cidade toda "floresta" apresenta essas condições, é natural haver explosões populacionais. No fundo, isso é apenas um aviso de que os carvalhos e outras espécies têm dificuldade para se defender nas ruas e entre edifícios.

Em suma, na cidade as árvores enfrentam tantos problemas que a maioria não chega a envelhecer. E, embora tenham feito o que quiseram durante a juventude, essa liberdade não compensa as desvantagens que encaram mais tarde na vida. Pelo menos conseguem se comunicar por mensagens aromáticas, pois costumam ser plantadas em sequência, formando alamedas da mesma espécie (as de plátano – que chamam atenção com sua casca bonita que descama em diversas cores – são muito comuns). Mas o teor dessa conversa é algo que ainda não conhecemos.

28. Esgotamento

As crianças de rua não podem contar com a atmosfera acolhedora da floresta. No entanto, algumas espécies pioneiras não dão a mínima para o conforto da floresta e as interações sociais e preferem o isolamento, crescendo o mais longe possível da árvore-mãe. Suas sementes podem ser carregadas por longas distâncias. São minúsculas, acolchoadas ou dotadas de "asas" para poderem ser levadas por quilômetros durante uma tempestade. O objetivo é aterrissar fora da floresta e colonizar novas áreas.

Um deslizamento de terra, uma área coberta de cinzas vulcânicas ou um solo recém-incendiado: para as pioneiras qualquer terreno serve, desde que não haja outras árvores grandes por perto; e há um motivo para isso: elas odeiam sombras. As sombras refreiam seu crescimento vertical. Entre os primeiros espécimes colonizadores há forte concorrência por um lugar ao sol, por isso os que crescem devagar ficam para trás. Entre as pioneiras há várias espécies de choupos, como o choupo-tremedor, o vidoeiro-branco e a *Salix caprea*. Enquanto o crescimento vertical de faias e abetos é de milímetros por ano, nas pioneiras pode alcançar 1 metro. Dessa forma, em 10 anos podem transformar um campo aberto em uma floresta jovem. A essa altura a maioria dos espécimes já floresceu para ocupar outros terrenos com suas sementes e os últimos trechos de terra livre a seu redor.

Por outro lado, terrenos abertos também são um atrativo para os herbívoros, pois as árvores não são as únicas a habitar o espaço, ocupado também pela grama e pelas ervas, que na floresta fechada sobreviveriam pouco tempo. Essas plantas atraem cervos e corsas, mas num passado remoto eram alvo de cavalos selvagens, auroques e bisões-europeus. As gramíneas estão adaptadas à pastagem contínua, e para elas é até vantajoso, pois com isso o broto das árvores também é comido, o que as favorece. Para se defender dos herbívoros e crescer mais do que a grama, muitos arbustos desenvolveram espinhos. O abrunheiro, por exemplo, é tão perigoso que seus espinhos podem atravessar botas de borracha e até pneus de carro, mesmo depois de anos após a morte da planta. Imagine o que ele é capaz de fazer com a pele e os cascos de animais.

As árvores pioneiras se defendem de outra forma. Como crescem rápido, o tronco também engrossa mais depressa e forma uma casca rústica. Um exemplo é a bétula, cuja casca branca e lisa forma fissuras negras. Os herbívoros não só quebram os dentes ao tentar arrancar a casca, como também não gostam dos óleos que saturam as fibras da madeira. É por causa desses óleos que a casca da bétula queima tão bem, mesmo verde, e é ótima para acender fogueiras.

A casca da bétula tem outra característica interessante. Sua coloração branca se deve à betulina. O branco reflete a luz do sol, protege o tronco de queimaduras e evita o aquecimento à luz morna do sol de inverno, que pode arrebentar os espécimes desprotegidos. Como a bétula é uma árvore pioneira que permanece sozinha em campo aberto e não tem vizinhos que lancem sombras sobre ela, essa proteção tem sentido. A betulina também é antiviral e antibacteriana e tem sido usada na medicina e em diversos produtos dermatológicos.[49]

O mais surpreendente é a quantidade de betulina. Se uma árvore forma grande parte da casca com substâncias defensivas, isso significa que ela está em constante situação de alerta. Quando isso ocorre não há equilíbrio entre a energia utilizada para crescer e a energia destinada às defesas. Mas por que outras espécies não fazem isso? Não seria mais sensato estar preparado para envenenar os agressores assim que dão a primeira mordida? Acontece que as espécies que vivem em sociedade não tomam esse caminho porque os espécimes cuidam uns dos outros em caso de necessidade, emitem alertas em caso de perigo e fornecem nutrientes quando um deles está doente ou fragilizado. Com isso economizam energia, que pode ser investida na madeira, nas folhas e nos frutos.

No entanto, a bétula também produz madeira (muito mais rápido do que as espécies que vivem em comunidade) e se reproduz. De onde vem toda essa energia? Por acaso ela realiza uma fotossíntese mais eficaz do que as outras? Não. O segredo da bétula é gastar todas as energias. Ela vive apressada, acima de suas condições, e por fim se exaure. Mas, antes de vermos as consequências desse comportamento, vejamos o caso de outra espécie inquieta: o choupo-tremedor, que tem esse nome porque suas folhas farfalham à mais leve brisa. Elas ficam presas a um pedúnculo especial e tremulam ao vento. Dessa forma captam luz com a frente e o verso de sua superfície e realizam a fotossíntese dos dois lados, ao contrário das folhas de outras espécies, em que o verso é reservado à respiração. Com essa tática, o choupo-tremedor produz mais energia e cresce ainda mais rápido que a bétula.

Já com relação aos predadores, o choupo-tremedor segue uma estratégia totalmente diferente da bétula, baseada em sua resistência e seu tamanho. Mesmo quando devorado por cervos durante anos a fio, aos poucos ele amplia seu sistema de raízes, de onde nascem centenas de brotos, que no decorrer dos anos desenvolvem verdadeiros arbustos. Com isso, uma única árvore pode se espalhar por centenas de metros quadrados – em casos extremos, milhares. Na Floresta Nacional de Fishlake, estado norte-americano de Utah, um único choupo-tremedor se estendeu por mais de 400 mil metros quadrados ao longo de milênios e formou mais de 40 mil troncos. Esse espécime, que por si só parece uma grande floresta, foi batizado de Pando (do latim *pandere*, espalhar-se).[50] É possível observar uma situação semelhante em florestas e prados europeus. Quando o arbusto se torna impenetrável para animais, em 20 anos alguns troncos podem crescer em paz e se transformar em grandes árvores.

No entanto, a luta contínua e o crescimento rápido cobram seu preço. Depois das primeiras três décadas, a árvore fica exausta. Os galhos superiores, uma medida do nível de vitalidade das espécies pioneiras, se tornam cada vez mais escassos. Isso por si só não é tão ruim, mas no caso de choupos, bétulas e salgueiros representa uma calamidade, pois, quando deixam luz suficiente passar pelas copas e alcançar o solo, espécies recém-chegadas e de crescimento mais lento (como o bordo, a faia, o carpino e o abeto-branco) podem aproveitar a oportunidade para se fixar. São espécies que preferem passar a infância à sombra, sombra essa que as pioneiras lhes fornecem involuntariamente e, com isso, assinam o próprio atestado de óbito, pois nesse momento tem início uma disputa que a pioneira certamente perderá.

A estratégia das árvores forasteiras é crescer devagar e, depois de algumas décadas, alcançar a pioneira que lhes proporcionava sombra. A essa altura, a pioneira está esgotada e tem, no máximo, 25 metros. Para uma faia 25 metros não é nada. Ela cresce por entre a copa da pioneira e a ultrapassa. Com suas copas densas, as árvores frondosas captam a luz com muito mais eficácia, por isso bétulas e choupos ultrapassados começam a receber uma quantidade insuficiente de luz. Ao se ver em apuros, a pioneira se defende, especialmente o vidoeiro-branco, que desenvolveu uma estratégia para combater a concorrência incômoda, ao menos por alguns anos: seus galhos finos, longos e oscilantes agem como chicotes que golpeiam à mais leve brisa. Com isso, danificam a copa da árvore vizinha, arrancando folhas e galhos jovens e freando o crescimento por um curto período. Ainda assim, a árvore intrusa ultrapassa a pioneira, e a partir daí seu crescimento acelera. Em poucos anos, as últimas reservas da pioneira se esgotam, e ela morre e se decompõe.

Porém, mesmo sem a concorrência agressiva de outras espécies, a vida da pioneira é curta, se comparada à de uma árvore de floresta. Quando seu crescimento vertical começa a diminuir, suas defesas contra fungos desaparecem, e basta que um galho grosso quebre para que se abra uma porta de entrada. Como ela cresceu rápido, sua madeira é composta de células grandes, que contêm muito ar. Isso permite que os fungos alastrem seus filamentos com rapidez. Boa parte do tronco entra em decomposição, e, como a espécie pioneira em geral fica sozinha, a primeira tempestade de outono derruba o tronco. Para a espécie em si isso não é nenhuma tragédia. A essa altura, seu objetivo de se espalhar rapidamente já foi cumprido há muito tempo – assim que ela alcançou a maturidade sexual e lançou suas sementes ao vento.

29. Para o norte!

As árvores não podem andar, mas precisam se deslocar. E como fazem isso? A solução está na transição entre as gerações. Toda árvore passa a vida fixada onde a semente criou raízes. No entanto ela se reproduz, e no curto período em que os embriões estão nas sementes eles são livres. Assim que a semente cai da árvore, sua viagem começa.

Muitas espécies são apressadas. Suas sementes têm uma penugem que ajuda no transporte delas pelo vento, como uma pluma. As espécies que lançam mão dessa estratégia precisam formar sementes pequenas e leves o bastante. É o caso dos choupos e salgueiros, cujas sementes fazem viagens de muitos quilômetros. Mas essa vantagem do alcance também traz uma desvantagem: para ser leve a semente carrega poucos nutrientes. Quando germina, não demora a usar as poucas reservas de energia, por isso precisa ter a sorte de cair num solo adequado. Do contrário, pode sofrer com a falta de nutrientes ou de água.

Já as sementes de bétula, bordo, carpino, freixo e coníferas são muito mais pesadas. A penugem não é uma alternativa, por isso elas fornecem a seus frutos outros equipamentos que auxiliam o voo. Muitas espécies, como as coníferas, formam verdadeiras asas que reduzem a velocidade da queda. Num vendaval o voo pode alcançar alguns quilômetros.

Espécies que produzem frutos pesados (como o carvalho, a castanheira ou a faia) nunca seriam capazes de cobrir distâncias tão longas, por isso não usam qualquer aparato e formam uma aliança com o mundo animal. Aproveitam-se de camundongos, esquilos e gaios, que adoram sementes ricas em óleos e amidos e as depositam no solo como reservas de inverno, mas depois não as encontram ou não precisam mais delas. Também é possível que um aluco, espécie de coruja, coma um rato selvagem que estava coletando frutos das faias e os armazenando aos pés da própria árvore para consumi-los no inverno. O roedor abre pequenos buracos secos entre as raízes, onde gosta de viver. Se há um rato morando entre as raízes, é possível encontrar cascas dos frutos da faia ao pé da árvore. Pelo menos alguns desses depósitos são formados a alguns metros de distância da árvore, em solo florestal aberto, e, na primavera seguinte à morte do rato, as sementes germinam e se tornam a nova floresta.

O gaio transporta os frutos da faia e do carvalho por alguns quilômetros. O esquilo percorre apenas algumas centenas de metros, enquanto os ratos enterram suas provisões a, no máximo, 15 metros da árvore. Portanto, árvores que formam frutos pesados não são rápidas. No entanto, seu tamanho lhes permite acumular uma reserva de nutrientes que garanta sua sobrevivência durante todo o primeiro ano.

Isso significa que árvores de sementes leves, como choupos e salgueiros, podem explorar novos hábitats muito antes das outras (por exemplo, quando ocorre uma erupção vulcânica e o terreno é devastado). No entanto, como não vivem tanto e permitem que muita luz alcance o solo, acabam dando oportunidade para as espécies mais lentas.

Mas, afinal, por que as árvores se alastram? Para uma floresta, não é melhor simplesmente permanecer onde a situação é confortável e agradável?

Acontece que a conquista de novos hábitats é necessária porque o clima está em constante mudança. É um processo lento, que demora séculos, mas em algum momento, apesar da alta tolerância natural das árvores, o clima fica quente, frio, seco ou úmido demais para determinada espécie. Por isso é preciso dar espaço a outras, e dar espaço significa se deslocar, processo que acontece neste exato momento nas nossas florestas, não apenas por causa da questão climática atual (o aumento de 1ºC na temperatura média do planeta), mas também pelas mudanças provocadas na transição da última Era do Gelo para um período interglacial, em que a temperatura aumenta.

As eras de gelo exercem um enorme impacto no clima do planeta. Conforme a temperatura cai com o passar dos séculos, as árvores precisam se deslocar para regiões mais quentes. Se a mudança é lenta, ao longo de muitas gerações, o deslocamento acontece sem percalços. Do contrário, se o gelo surgir muito rápido, atropelará as florestas e engolirá as espécies lentas.

Na Europa, há 3 milhões de anos era possível encontrar duas espécies de faias: as atuais e outra que produzia folhas maiores. Com a queda da temperatura, a faia comum conseguiu migrar para o sul da Europa, mas aos poucos as faias de folhas grandes morreram. Um dos motivos foi os Alpes: a cadeia montanhosa serviu de barreira natural e impediu a fuga das árvores. Para ultrapassar as montanhas, a faia de folhas grandes precisaria ser capaz de sobreviver em locais de altitudes elevadas para depois descer do outro lado da cadeia. Mas os locais mais altos são frios demais mesmo no verão, de modo que a esperança de muitas árvores terminou no pé dos Alpes. Hoje em dia a espécie existe no oeste dos Estados Unidos, onde sobreviveu porque se deslocou para o sul e não foi bloqueada por uma cadeia montanhosa. Após a Era do Gelo, voltou para o norte.

No entanto, a faia e mais algumas poucas espécies de árvores superaram os Alpes e sobreviveram em locais protegidos até o período interglacial atual. Comparativamente, não tiveram problemas nos últimos milênios e têm realizado uma marcha para o norte, como que seguindo a trilha do gelo derretido. Assim que começou a esquentar, as sementes da faia germinaram, tornaram-se adultas e espalharam novas sementes, que avançaram rumo ao norte, a uma velocidade média de 400 metros por ano.

A faia é especialmente lenta. O gaio espalha mais sementes de carvalho do que de faia, e outras espécies ganham terreno carregadas pelo vento e ocupam superfícies livres com muito mais velocidade. Quando a acomodada faia voltou para as florestas da Europa Central há cerca de 4 mil anos, a floresta já estava ocupada por carvalhos e avelaneiras. Mas para a faia isso não foi um problema, pois, com sua já conhecida estratégia, ela prospera num ambiente muito menos ensolarado do que as outras espécies e pode germinar sem dificuldade aos pés delas. A pouca luz que carvalhos e avelaneiras permitem passar por sua copa bastou para que as faias crescessem. Aconteceu o que tinha que acontecer: as faias ultrapassaram as outras espécies e roubaram a luz necessária para sobreviver.

Atualmente essa trilha impiedosa para o norte chega ao sul da Suécia, mas a faia continua avançando. Ou melhor, continuaria, se não tivéssemos interferido. Na época em que a faia chegou a essa região o homem estava começando a alterar o ecossistema da floresta. Derrubava as árvores ao redor de seus assentamentos para abrir espaço para a agricultura e a criação de gado. Como se não bastasse, começou a simplesmente levar vacas e porcos para a floresta. Para as faias essa mudança foi catastrófica, pois as árvores jovens demoraram séculos para crescer. Ainda pequenas, seus brotos superiores eram indefesos e ficavam expostos aos herbívoros. Originalmente, havia poucos mamíferos nessa área, pois florestas densas oferecem pouca alimentação. Antes da chegada do homem à região, a faia tinha grande chance de aguardar 200 anos sem ser perturbada ou devorada. Mas os pastores passaram a entrar nas florestas com seus rebanhos famintos, que devoraram os brotos. Nos clarões que surgiram com o desmatamento das florestas outras espécies antes subjugadas pelas faias passaram a prosperar. Tudo isso impediu o avanço das faias no atual período interglacial, e até hoje elas não conseguiram colonizar muitas regiões da Europa.

Nos últimos séculos as florestas da Europa se tornaram território de caça, o que, por incrível que pareça, causou um grande aumento das populações de cervos, javalis e corças. Graças a programas de alimentação maciça realizados por caçadores (interessados na multiplicação dos cervos machos com chifres), a população atual é 50 vezes maior do que o normal. Em regiões de falantes do alemão há uma das maiores densidades de herbívoros do mundo, o que, mais do que nunca, tem dificultado a vida das jovens faias.

A engenharia florestal também limita o avanço da faia. No sul da Suécia (região em que ela se sentiria em casa) há plantações de abetos e pinheiros em sequência. Exceto por poucas árvores espalhadas, é difícil encontrar uma faia por ali, mas elas estão de prontidão: assim que o homem parar de interferir no caminho natural da faia, ela voltará a se deslocar para o norte.

A mais lenta das árvores migratórias é o abeto-branco, a única espécie nativa de pícea da Alemanha. O nome se deve à sua casca cinza-clara, quase branca, bem diferente das outras espécies de abeto (de casca marrom-avermelhada). Como a maioria das espécies europeias, o abeto-branco sobreviveu à Era do Gelo provavelmente na Itália, nos Bálcãs e na Espanha.[51] De lá veio atrás das outras árvores, a uma velocidade de apenas 300 metros por ano. Foi ultrapassado por outras espécies de abetos e pelos pinheiros, que têm sementes bem mais leves e por isso ganham terreno mais rápido. Graças ao gaio, até a faia e suas sementes pesadas foram mais rápidas do que o abeto-branco.

Ao que parece, o abeto-branco desenvolveu a estratégia errada de reprodução, pois, apesar de contarem com uma espécie de "vela" para serem carregadas pelo vento, suas sementes não voam bem e são pequenas demais para serem espalhadas por pássaros. Embora até existam espécies que se alimentem das sementes de píceas, para a conífera isso de pouco adianta. Um exemplo é o quebra-nozes (espécie de gaio), que prefere sementes da espécie de pinheiro *Pinus cembra*, mas, como alternativa, também guarda as sementes de abeto-branco. No entanto, ao contrário do gaio, que esconde os frutos da faia e do carvalho em qualquer lugar do solo, o quebra-nozes armazena suas provisões em lugares secos e protegidos. Por isso, quando são esquecidas no local, as sementes não germinam, pois não têm acesso a água.

A vida do abeto-branco é difícil. Enquanto a maioria das espécies centro-europeias já está perto da Escandinávia, o abeto-branco mal chegou às montanhas do maciço de Harz, no coração da Alemanha. Mas o que são alguns séculos de atraso para as árvores?

De qualquer forma, as espécies de abetos prosperam nas sombras e crescem até embaixo das faias. Com essa estratégia, entram aos poucos nas florestas antigas e em algum momento podem se transformar em árvores poderosas. No entanto, os abetos têm um calcanhar de aquiles: os herbívoros adoram seus brotos e devoram todas as mudas que encontram, impedindo a disseminação da espécie.

Por que a faia é tão bem-sucedida na Europa Central? Ou seja, se ela leva a melhor contra todas as outras espécies, por que simplesmente não se espalham pelo mundo? A resposta é simples. Seus pontos fortes só são bem aproveitados sob as condições climáticas atuais (verões frescos, invernos amenos e nível de precipitação entre 500 e 1.500 milímetros por ano), que sofrem influência da relativa proximidade da região com o oceano Atlântico. No entanto, não sobrevivem nas montanhas, pois não suportam o frio extremo.

Na floresta, o fator água é preponderante para o crescimento, e nesse quesito a faia se destaca. Para produzir 1 quilo de madeira, precisa de 180 litros de água. Pode parecer muito, mas a maioria das outras espécies precisa de até 300 litros, quase o dobro, diferença decisiva para a velocidade de crescimento e a capacidade de subjugar outras espécies. O abeto, por exemplo, tem uma predisposição a beber bastante, pois em sua zona de conforto fria e úmida do extremo norte europeu não falta água. Já na Europa Central essas condições só existem em locais de grande altitude, perto dos limites da floresta. Nessas regiões chove bastante e, com as temperaturas baixas, a água quase não evapora. Ali é possível se dar ao luxo de desperdiçar água.

No entanto, na maior parte das planícies, a faia se destaca com sua austeridade, crescendo bastante mesmo nos anos secos e rapidamente ultrapassando as espécies que esbanjam água. Os brotos das outras espécies são sufocados sob as camadas grossas de folhas caídas no solo, mas as mudas de faia crescem sem problemas. Somando-se sua alta taxa de aproveitamento da luz solar – que não deixa passar nada para outras espécies – à sua alta capacidade de criar um microclima úmido ideal, formar uma boa provisão de húmus no solo e captar água com os galhos, a faia é quase imbatível na Europa Central, mas só nessa região.

Em um clima mais continental, começa a perder terreno. Não tolera verões quentes e secos nem invernos inclementes (condições predominantes no Leste Europeu), por isso abre espaço para outras espécies, como o carvalho. Já na Escandinávia os verões ainda são aceitáveis, mas ela também não tolera o frio do inverno na região. No sul da Europa, a região mais ensolarada do continente, ela só pode se fixar em locais mais altos e amenos. Ou seja, a faia está momentaneamente presa à Europa Central. Porém, a mudança climática vem aquecendo a Europa setentrional, e no futuro ela poderá seguir rumo ao norte. Ao mesmo tempo, o sul da Europa ficará quente demais para a espécie, de forma que toda a sua zona habitável se deslocará para o norte.

30. Resistência

Por que as árvores vivem tanto? Afinal, elas poderiam agir exatamente como os arbustos: crescer a todo o vapor no verão, florescer, formar sementes e virar húmus. Dessa forma teriam uma vantagem decisiva. A cada nova geração existe uma chance de mutação genética, o que pode ser ótimo para o cruzamento ou a fertilização. Num ambiente de mudanças constantes, a adaptação é necessária à sobrevivência. Os camundongos, por exemplo, se reproduzem em poucas semanas, e as moscas são muito mais rápidas (seu ciclo de larva a adulta dura apenas cerca de 10 dias). Toda vez que os traços hereditários são passados de geração em geração, os genes podem ser danificados e, com sorte, isso gera uma característica especial e vantajosa para a planta. É a evolução, processo que ajuda na adaptação dos organismos às constantes mudanças do meio ambiente e garante a sobrevivência das espécies. Quanto mais curto o período entre as gerações, mais rápido animais e plantas conseguem se adaptar.

As árvores parecem não dar a mínima para essa necessidade comprovada pela ciência. Envelhecem e em geral vivem séculos – em alguns casos, milênios. Reproduzem-se, no mínimo, a cada cinco anos, e em geral não nasce uma geração completamente nova de árvores. De que adianta a árvore produzir centenas de milhares de descendentes que não encontram um lugar onde crescer? Como já expliquei, enquanto a árvore-mãe capta quase toda a luz na copa, a seus pés quase nada acontece, sua prole não faz nenhum progresso real. Mesmo que o broto possua características novas e maravilhosas, o normal é que precise esperar séculos para florescer pela primeira vez e transmitir os genes superiores. Tudo acontece muito lentamente, e, num ritmo normal, isso seria insustentável para a árvore.

Analisando o histórico climático recente, veremos que ele é repleto de mudanças bruscas. Um grande canteiro de obras perto de Zurique, na Suíça, mostra como podem ser repentinas: trabalhadores encontraram tocos de árvore relativamente recém-cortados, os quais, num primeiro momento, deixaram de lado. Um pesquisador pegou amostras dos espécimes para investigar a idade. O resultado mostrou que os tocos eram de pinheiros que tinham crescido ali havia mais ou menos 14 mil anos. O mais surpreendente eram as variações de temperatura da época. Em menos de 30 anos a temperatura caiu cerca de 6°C e depois voltou aproximadamente ao nível anterior. Essa variação corresponde ao pior cenário de mudança possível que podemos enfrentar até o fim do século XXI.

O próprio século XX europeu (com o frio extremo dos anos 1940, a seca recorde na década de 1970 e o calor extremo dos anos 1990) já foi muito duro com a natureza. As árvores só suportaram tudo isso por dois motivos. Primeiro, porque têm grande tolerância a variações climáticas. A faia, por exemplo, cresce da Sicília ao sul da Suécia, regiões de climas bem distintos. Bétulas, pinheiros e carvalhos também são muito resilientes. Ainda assim, essa tolerância não explica como elas suportam todas as exigências climáticas. Com as variações de temperatura e de nível de precipitações, muitas espécies de animais e fungos migram do sul para o norte e vice-versa. Isso significa que as árvores também precisam se adaptar a parasitas desconhecidos.

Também existe a possibilidade de uma mudança climática tão abrupta que ultrapasse o nível do suportável. E, como não têm pernas para fugir nem podem pedir ajuda externa, as árvores precisam se virar. Sua primeira oportunidade surge logo no início da vida. Pouco depois da fertilização, as sementes podem reagir às condições ambientais enquanto amadurecem nas flores. Se o clima estiver muito quente e seco, os genes que facilitam seu desenvolvimento nessas condições são ativados. As píceas estabelecem que seus brotos serão mais tolerantes ao calor do que antes. No entanto, tornam-se menos resistentes a geadas.[52]

As árvores adultas também são capazes de reagir. Se sobrevivem a um período de seca, no futuro ficam mais econômicas e não utilizam toda a água do solo logo no começo do verão. A maior parte da água da árvore evapora pelas folhas e agulhas. Ao perceber que haverá estiagem e que a sede se transformará num problema duradouro, ela cobre a parte superior da folha ou agulha com diversas camadas de cera para impedir a perda de água. Por outro lado, passa a ter dificuldade para respirar.

Quando o repertório da árvore se esgota, a genética entra em cena. Ela demora para formar uma nova geração de brotos – ou seja, é incapaz de se adaptar rapidamente para reagir a mudanças no meio ambiente. No entanto, existem outras saídas. Numa floresta, cada indivíduo de uma espécie é geneticamente muito diferente dos outros (ao contrário da raça humana, cujos membros são tão parecidos uns com os outros em termos evolutivos que poderíamos dizer que todos são parentes). As faias de uma mata natural são tão distintas que cada uma poderia ser considerada uma espécie por si só. Muitas enfrentam a seca melhor do que o frio, algumas se defendem bem contra insetos, outras não se abalam com o excesso de água no solo. Se por qualquer motivo as condições climáticas mudarem, os espécimes menos adaptados para lidar com o novo clima serão os primeiros a sucumbir. Alguns espécimes antigos morrem, mas grande parte da mata sobrevive.

No entanto, se as condições se tornarem muito extremas e a mata perder muitos deles, ainda assim isso não será uma tragédia. Em geral um percentual suficiente sobreviverá à mudança e formará frutos e sombras suficientes para as gerações seguintes. Com base em dados científicos atuais, realizei um cálculo das matas de faia da nossa reserva e concluí que, mesmo que um dia Hümmel tenha condições climáticas semelhantes às da Espanha, a maior parte das árvores se adaptará à mudança. Isso só não acontecerá se houver um desmatamento indiscriminado das faias que altere a estrutura social da floresta a ponto de não conseguirem mais regular o microclima da região.

31. Tempestade

Na floresta, nem sempre tudo corre conforme os planos. Mesmo quando o ecossistema é estável e não sofre fortes alterações durante muitos séculos, uma catástrofe natural pode mudar tudo a qualquer momento. Basta uma tempestade de inverno. Ciclones ou furacões podem derrubar florestas inteiras de abetos ou pinheiros, mas via de regra isso acontece com plantações, geralmente em solos inadequados para as raízes, compactados por máquinas e quase impenetráveis. Dessa forma elas não conseguem crescer e proporcionar um suporte adequado para a árvore. Além disso, as coníferas ficam muito mais altas na Europa Central do que em sua terra natal ao norte, na Escandinávia. E elas mantêm as agulhas até no inverno, por isso têm muito mais área para sofrer ação do vento, tanto na copa quanto no tronco, e são mais suscetíveis ao efeito alavanca provocado pelo vento. Portanto, o fato de as raízes não aguentarem e cederem à pressão é uma mera questão de lógica.

No entanto, tornados podem danificar até as florestas naturais, ao menos em nível local. Seus ventos mudam de direção em questão de segundos e pressionam toda a árvore. Geralmente chegam às florestas da Europa Central junto com chuvas torrenciais no verão, quando outro componente entra em jogo: as árvores frondosas ainda não desfolharam. Nos meses "normais" de tempestade (de outubro a março, no hemisfério Norte) as frondosas estão desfolhadas, por isso o vento passa por seus galhos, mas no auge do verão não estão contando com problemas dessa natureza. Se um tornado varre a floresta, atinge as copas com grande violência. Os estilhaços de troncos ficam espalhados pelo chão como recordação da violência da força da natureza.

Tornados são muito raros; por isso, do ponto de vista evolutivo, não vale a pena criar uma estratégia de defesa contra eles. No entanto, as tempestades têm causado outro tipo de dano com muito mais frequência: a destruição de copas inteiras. Quando uma carga muito pesada atinge as folhas em poucos minutos, exerce uma força de toneladas sobre a árvore, e as frondosas não estão preparadas para isso.

Geralmente esse fenômeno acontece no inverno, e a precipitação se dá em forma de neve, não de chuva, mas cai no solo, pois a essa altura a árvore já desfolhou. No verão a faia e o carvalho suportam chuvas regulares sem grandes consequências. Se a árvore cresceu de acordo com o manual de etiqueta, nem a tempestade mais forte costuma representar um problema. A questão é quando o tronco ou os galhos se formam da maneira errada e apresentam problemas estruturais.

Um galho normal cresce em forma de arco – nasce na lateral do tronco, sobe um pouco, se estende na horizontal e por fim se curva levemente para baixo. Dessa maneira amortece bem o peso das fortes chuvas. Isso é fundamental, pois as árvores mais velhas têm galhos de mais de 10 metros. Esse formato reduz a força de alavanca no ponto de ligação entre galho e tronco, reduzindo sua chance de quebrar.

Apesar do perigo, muitas árvores não seguem o manual de etiqueta. Seus galhos nascem retos e depois crescem para cima. Se o galho não se inclina para baixo, perde a capacidade de amortecimento e acaba quebrando. Às vezes o próprio tronco apresenta essa malformação e acaba quebrando com as chuvas torrenciais que acompanham as tempestades. No fim das contas, é uma dura lição que se deve tirar dessas árvores imprudentes.

No entanto, quando a pressão é forte demais a culpa não é da árvore. Na Europa Central, no fim do inverno e no começo da primavera os flocos de neve costumam ser mais pesados. É possível avaliar a gravidade do problema pelo tamanho dos flocos. Se alcançam o tamanho de uma moeda grande, é porque a situação é crítica. Nesses meses a neve é úmida, contém muita água e é pegajosa. Em vez de cair dos galhos, ela gruda e se acumula em camadas grossas e pesadas.

Mesmo árvores enormes e poderosas perdem muitos galhos, mas a situação é mais grave para os espécimes em fase de crescimento, que têm tronco fino e copa pequena. O peso da neve os quebra ou os deixa tão curvados que eles não conseguem mais se endireitar. As árvores muito jovens não correm esse risco, pois seu tronco é curto demais para entortar. Muitas árvores adultas ficam definitivamente tortas como resultado desses fenômenos climáticos.

A geada exerce um efeito semelhante ao da neve. Quando a temperatura cai abaixo de zero e ao mesmo tempo surge uma neblina, as gotas finas de umidade se acumulam nos galhos ou nas agulhas. Depois de horas, a floresta inteira fica branca, embora não tenha nevado. Se esse clima permanece por muitos dias, as copas podem acumular toneladas de gelo. Quando o sol aparece, as árvores cintilam como em um conto de fada, mas a verdade é que mal aguentam o peso e começam a se curvar perigosamente. E, caso tenham algum ponto fraco na madeira, ouve-se um estalo seco ecoar como um tiro de pistola pela floresta, e a copa inteira vai ao chão.

Na Europa Central, esses fenômenos meteorológicos se repetem em média a cada 10 anos, o que significa que uma árvore precisará aguentá-los em média 50 vezes em sua vida. Quanto menos integrada a árvore estiver numa comunidade, mais perigo correrá. Os espécimes solitários, que ficam expostos à névoa e ao frio, sucumbem com muito mais frequência do que os bem relacionados que habitam a floresta fechada, que podem se apoiar nos vizinhos. Além disso, na mata fechada o vento costuma correr apenas entre as copas, congelando as pontas dos galhos superiores.

No entanto, o clima ainda traz outros perigos, como os raios. Na Alemanha há uma antiga máxima que vale para quem está numa tempestade na floresta: "Fuja dos carvalhos, procure as faias." Em muitos carvalhos antigos e nodosos é possível encontrar sulcos de cima a baixo do tronco com centímetros de largura e profundidade. Eles foram causados pelos raios. Como o carvalho tem uma casca áspera, a água da chuva escorre pelo tronco formando pequenas cascatas e quedas-d'água até o solo. Assim, a corrente do raio é interrompida a todo momento. Quando isso acontece, o ponto de menor resistência (que o raio procurará) passa a ser a madeira úmida dos anéis de crescimento externos, os quais a árvore usa para transportar água internamente. Em resposta ao pico de energia, o alburno estoura, e mesmo muitos anos depois é possível ver marcas do que aconteceu. Nunca vi essas marcas em troncos de faias.

De qualquer forma, é perigoso concluir que essa espécie nunca será atingida. Faias grandes e antigas não oferecem proteção alguma, pois frequentemente também são alvo de raios. Acontece que os danos não são visíveis porque sua casca é lisa, ao contrário da casca do carvalho. Em tempestades, a chuva que escorre pelo tronco forma uma película contínua e uniforme, e a água (que é um condutor de energia muito mais eficaz do que a madeira) conduz a eletricidade pela superfície do tronco até o solo.

A douglásia, espécie nativa da América do Norte já introduzida na Europa Central, apresenta casca irregular e reage de forma semelhante ao carvalho, mas parece ter raízes muito mais sensíveis. Em minha reserva já observei dois casos em que o raio mata não apenas a árvore atingida, mas também outras 10 num raio de 15 metros. Obviamente estavam conectadas à vítima do raio pelas raízes, que nesse caso transportaram não uma solução açucarada, mas uma descarga mortal de energia.

Tempestades de raios também podem provocar incêndios. Certa vez, no meio da noite, os bombeiros tiveram que entrar na floresta para apagar um pequeno incêndio causado por um raio. Era um abeto antigo e oco, que por isso protegia as chamas dentro da madeira em decomposição. Os bombeiros apagaram o fogo rapidamente, mas, mesmo que não tivessem aparecido, o incêndio não teria causado danos graves. A floresta estava úmida demais, e provavelmente o fogo não se alastraria.

Não costuma haver incêndios em florestas nativas da Europa Central. As árvores frondosas, predominantes no passado, não pegavam fogo, pois sua madeira não continha resinas ou óleos essenciais – nem qualquer mecanismo que reagisse ao calor. O sobreiro, árvore típica da Espanha e de Portugal, tem um mecanismo de defesa contra incêndios: sua casca grossa o protege do calor do fogo rasteiro e permite que os brotos que se abrigam embaixo de sua copa voltem a eclodir depois.

Na Europa Central, pode haver incêndios nas monoculturas de abetos e pinheiros (cujas agulhas ressecam no verão). Mas por que as coníferas armazenam tantas substâncias inflamáveis na casca e nas folhas? Se em seu hábitat natural os incêndios são comuns, elas não deveriam conter substâncias inflamáveis. Se a cada 200 anos um incêndio varresse as matas de abetos e pinheiros, alguns espécimes da floresta do condado sueco de Dalarna nunca ultrapassariam os 8 mil anos de idade.

Acredito que por trás disso estão pessoas descuidadas, que há milênios se esquecem de apagar as fogueiras que acendem para cozinhar, provocando incêndios acidentais. A verdade é que era tão incomum que raios causassem pequenos focos de incêndio que as espécies europeias não desenvolveram defesas contra essa possibilidade. Para termos certeza do culpado basta lermos os jornais e descobrir quem causa os incêndios florestais: na maioria das vezes, são os humanos.

Menos perigoso, porém mais grave, é um fenômeno que só descobri há pouco tempo. A cabana do nosso centro florestal fica numa encosta a quase 500 metros de altura, e os riachos que recortam a paisagem da região não fazem mal à floresta, muito pelo contrário. No entanto, no caso de grandes rios é diferente. De vez em quando eles avançam sobre a margem, onde se formam ecossistemas bastante específicos: as florestas aluviais, cujo número de espécies que são capazes de abrigar depende do tipo e da frequência das cheias. Se águas correm rápido e a margem é submersa durante muitos meses do ano, predominarão na área salgueiros e choupos, espécies que suportam a umidade prolongada do solo, condições geralmente encontradas perto dos rios.

Um pouco mais distante do rio e quase sempre alguns metros acima de seu nível, o terreno quase não sofre inundações, mas quando a neve derrete na primavera formam-se grandes lagos dos quais a água flui lentamente. Até o desfolhamento das árvores eles já terão desaparecido, e essas condições são ideais para os carvalhos e olmos, que formam matas com espécimes de madeira de lei, ecossistema que, diferentemente do dos salgueiros e choupos, é muito sensível às cheias do verão. Nesse período, essas árvores, em geral robustas, podem morrer, pois as raízes se afogam.

No inverno o rio pode causar sérios danos às árvores. Certa vez, durante uma excursão por uma floresta de madeira de lei que beira o rio Elba, notei que as cascas de todas as árvores da região estavam arrebentadas. E os danos estavam na mesma altura: a aproximadamente 2 metros do solo. Nunca tinha visto algo parecido, e, junto com o restante do grupo, quebrei a cabeça para tentar descobrir como isso poderia ter acontecido. O funcionário da reserva de biosfera desvendou o mistério: os ferimentos eram causados pelo gelo. Quando o inverno é muito frio o Elba congela. Quando o ar e a água esquentam na primavera, o rio enche, e o gelo avança nos carvalhos e olmos, batendo contra os troncos. Como o nível da água é o mesmo em todos os lugares, as feridas nas árvores estavam na mesma altura.

Tendo em vista a atual mudança climática, em algum momento a formação de gelo no Elba acabará se tornando coisa do passado. No entanto, com suas cicatrizes, as árvores ribeirinhas mais velhas, que desde o início do século XX sobrevivem a todo tipo de fenômenos meteorológicos, continuarão sendo testemunhas desses processos por muito tempo.

32. Imigrantes

As árvores migram, e por isso a floresta muda continuamente. Na verdade, não só a floresta, mas toda a natureza. Portanto, muitas vezes fracassamos ao tentar preservar determinadas paisagens. O que vemos é apenas um retrato momentâneo de uma aparente imobilidade. Na floresta, essa ilusão é quase perfeita, pois as árvores estão entre os seres mais lentos de nosso meio ambiente. Assim, precisamos de várias gerações humanas para observar alterações nas florestas naturais, e uma delas é a chegada de novas espécies.

Graças à engenharia florestal moderna e aos "suvenires botânicos" que expedições ao redor do mundo trouxeram para a Europa no passado, muitas espécies de árvores foram introduzidas no Velho Mundo, como a douglásia, o lariço-japonês (*Lárix kaempferi*) e o abeto-gigante (*Abies grandis*). Essas espécies não migraram naturalmente para a Europa; chegaram até ali sem o ecossistema ao qual estavam acostumadas, pois suas sementes foram importadas e a maioria dos fungos e todos os insetos de sua terra natal ficaram para trás.

Essas espécies puderam começar do zero na Europa, o que lhes proporcionou muitas vantagens. Pelo menos nas primeiras décadas elas não foram acometidas por doenças transmitidas por parasitas. O homem vive uma situação semelhante na Antártida. O ar do continente gelado é quase livre de germes e poeira, o que seria ótimo para quem sofre de alergias se o continente não estivesse tão longe (e não fosse tão frio).

Ao mudar essas espécies de continente, é como se proporcionássemos a elas um sopro de ar fresco. Com sorte, elas encontram fungos parceiros para suas raízes. Saudáveis, crescem nas florestas europeias e em pouco tempo formam troncos robustos. Ao menos em alguns lugares é comum que até ultrapassem as espécies nativas.

Claro que as espécies imigrantes só se fixam quando o ambiente é favorável. Para enfrentarem as antigas donas da floresta, não apenas o clima, mas também o tipo de solo e o nível de umidade precisam ser adequados. No caso de árvores introduzidas na floresta pelo homem, o resultado a longo prazo é imprevisível. Em seu continente natal, o azereiro-dos-danados (espécie de cerejeira frondosa da América do Norte) forma troncos maravilhosos e madeira de alta qualidade. Os engenheiros florestais europeus certamente quiseram contar com essa espécie em suas florestas. No entanto, após algumas décadas tiveram uma decepção: em seu novo lar, as árvores crescem tortas e inclinadas e não chegam a 20 metros de altura, desenvolvendo-se pouco debaixo dos pinheiros do oeste e do norte da Alemanha. No entanto, não conseguimos nos livrar dessa espécie azarada, pois os cervos detestam seus galhos amargos – preferem devorar faias, carvalhos ou, em caso de necessidade, até os pinheiros. Isso a deixa livre da concorrência e permite que ela ganhe terreno.

As douglásias também têm futuro incerto na Europa Central. Mais de 100 anos depois de plantadas, em alguns lugares elas se transformaram em gigantes impressionantes. No entanto, em outros tiveram que ser derrubadas. Quando eu ainda era estudante presenciei a morte prematura de uma mata de douglásias com menos de 40 anos. Por muito tempo os cientistas quebraram a cabeça para descobrir o motivo. Não era por ação de fungos ou insetos, mas por causa do solo rico em manganês, substância que as douglásias aparentemente não suportam.

Na verdade, a douglásia não existe como espécie. Existem subespécies com características totalmente distintas que foram importadas para a Europa. As da costa do Pacífico foram as que se adaptaram melhor à Europa Central. No entanto, suas sementes foram cruzadas com as das douglásias do interior do continente americano, que crescem longe do mar. Para complicar, as subespécies produziram espécimes híbridos, de características totalmente aleatórias. Infelizmente, só 40 anos depois de plantada é possível saber se a árvore está bem. Se estiver, exibirá agulhas firmes e verdes, e uma copa densa, impenetrável. No entanto, as douglásias híbridas, que receberam muitos genes do interior, começaram a produzir e armazenar muita resina no tronco e poucas agulhas. No fim, trata-se de uma correção cruel da natureza: quem não se adapta geneticamente é excluído, mesmo que o processo se arraste por muitas décadas.

Valendo-se da mesma estratégia utilizada na luta contra os carvalhos, as faias da região não têm tido dificuldade para se livrar das intrusas. O fator decisivo na vitória da faia contra a douglásia ao longo dos séculos é sua capacidade de crescer à sombra de árvores maiores. Quando jovem, a douglásia precisa de muito mais luz do que a faia, por isso sempre acaba sendo ultrapassada pelas frondosas da Europa Central. Sua única esperança é contar com a ajuda do homem, que pode derrubar suas concorrentes possibilitando que a luz solar atinja o solo.

O perigo é quando surgem espécies forasteiras geneticamente muito semelhantes à nativa, como é o caso do lariço-japonês. Quando ele foi trazido para a Europa entrou em contato com o lariço-europeu, espécie que cresce torta e devagar, motivo pelo qual desde o século passado tem sido substituída pela espécie japonesa. As duas espécies cruzaram e formaram espécimes híbridos. Por isso existe o risco de que, um dia, o lariço-europeu puro desapareça. Isso tem acontecido na floresta que gerencio na cadeia de colinas da região do Eifel, no oeste da Alemanha, onde nenhuma das duas espécies é nativa. Outro candidato ameaçado de um destino semelhante é o choupo-negro, que faz hibridação com choupos que já são híbridos, criados artificialmente a partir de cruza de espécies de choupos do Canadá.

A maioria das espécies imigrantes é inofensiva para as árvores nativas. Sem a ajuda do homem, muitas teriam desaparecido em, no máximo, dois séculos. E, mesmo com a nossa ajuda, a longo prazo sua sobrevivência seria difícil, pois seus parasitas se aproveitaram do comércio e do fluxo global de mercadorias e as encontraram no novo continente. Obviamente estes não são importados junto com as árvores, pois quem introduziria deliberadamente organismos prejudiciais em um ambiente? No entanto, com o aumento das importações de madeira, cada vez mais fungos e insetos conseguem cruzar o oceano, com frequência alojados em materiais de embalagem, como pallets de madeira mal esterilizados.

Às vezes as embalagens transportam até insetos vivos, como eu mesmo já vi. Certa vez importei um antigo calçado americano para minha coleção particular de objetos cotidianos de indígenas. Quando desembrulhei o sapato envolto em papel-jornal encontrei besouros marrons, os quais matei rapidamente. Talvez pareça uma atitude estranha, sobretudo vinda de um defensor da natureza, porém insetos importados são perigosos não apenas para as espécies que imigraram, mas também para as nativas.

Um exemplo disso é o besouro-asiático (*Anoplophora glabripennis*), que provavelmente chegou à Europa em madeira de embalagem saída da China. O besouro mede 3 centímetros e tem antenas de 6 centímetros. Sua carapaça preta com manchas brancas é muito bonita, mas para nossas frondosas da Europa ele é um problema real, pois deposita seus ovos em pequenas fendas da casca. Deles surgem larvas famintas, que abrem buracos do tamanho de um dedão no tronco, que é atacado por fungos e acaba quebrando. Até agora, os besouros se concentraram em áreas urbanas, o que causa ainda mais problemas às árvores "crianças de rua". Ainda não se sabe se eles vão se alastrar e alcançar as florestas, pois, felizmente, são muito preguiçosos e preferem ficar em um raio de poucas centenas de metros de seu local de nascimento.

Outro imigrante asiático tem um comportamento bem diferente. É o fungo *Hymenoscyphus fraxineus* (ou *Chalara fraxinea*), espécie capaz de matar a maioria dos freixos da Europa. Eles parecem inofensivos, simples cogumelos que crescem nos pecíolos (segmento da folha que a prende ao ramo ou tronco) das folhas caídas. No entanto, seu micélio se esconde nas árvores e mata os galhos. Alguns freixos parecem sobreviver ao ataque, mas já se duvida que, no futuro, haja matas de freixos perto de rios ou riachos.

Às vezes me pergunto se nós, engenheiros florestais, também não contribuímos para essa disseminação. Eu mesmo já visitei florestas afetadas pelo fungo no sul da Alemanha e voltei para nossa reserva com os mesmos sapatos. Talvez houvesse pequenos esporos nas solas e, sem saber, eu os tenha transportado até a floresta que gerencio na região montanhosa de Eifel. Seja como for, nesse meio-tempo surgiram os primeiros freixos doentes na floresta de Hümmel.

Apesar de tudo isso, não me preocupo com o futuro de nossas florestas, pois nos grandes continentes (e a Eurásia é o maior deles) toda espécie nativa sempre precisou lidar com outras recém-

-chegadas. Pequenos animais, esporos de fungos ou sementes de novas espécies de árvores podem ser transportados por aves ou pelo vento. Uma árvore de 500 anos certamente já passou por surpresas na vida; no entanto, graças à grande diversidade genética existente na mesma espécie de árvore, sempre haverá espécimes suficientes para superar os novos desafios.

Na Europa existem casos de aves que migraram sem ajuda humana, como a rola-turca ou rola-da-índia (*Streptopelia decaocto*), que chegou à Alemanha nos anos 1930, vinda da região do Mediterrâneo. O *Turdus pilaris*, espécie de tordo cinza e pardo com manchas pretas, vem migrando há 200 anos do nordeste da Alemanha e já alcançou a França. Ainda não sabemos quais surpresas traz em suas penas.

O fator decisivo para garantir a solidez do ecossistema das florestas nativas frente a essas mudanças é permanecerem inalteradas. Quanto mais intacta a comunidade e mais equilibrado o microclima, mais dificuldade os invasores estrangeiros encontrarão para se fixar na floresta. Um exemplo clássico é o de plantas como a *Heracleum mantegazzianum*, originária do Cáucaso, que ultrapassa os 3 metros de altura. Por seus belos cachos de flores brancas, a planta foi importada no século XIX para a Europa Central, mas escapou dos jardins botânicos e se espalhou pelo campo. Sua seiva causa queimaduras na pele em contato com raios ultravioleta, motivo pelo qual é considerada uma planta muito perigosa. Todos os anos gastam-se milhões para destruí-la, mas sem sucesso. No entanto, a *Heracleum mantegazzianum* só se espalha porque não há mais florestas de galeria à beira de riachos e rios. Caso elas voltem, as árvores captarão a luz e farão sombras que causarão o desaparecimento dessa planta. O mesmo vale para o bálsamo-da-índia (*Impatiens glandulifera*) e a sanguinária-do--japão (*Fallopia japonica*), que, na ausência das árvores, tomaram conta das margens dos rios. Quando deixarmos as árvores resolverem esse problema, ele acabará.

Após tantas explicações sobre espécies não nativas talvez valha a pena saber o que é uma planta nativa. Costumamos chamar a espécie de nativa quando ela surge naturalmente nas fronteiras territoriais de um país. Um exemplo clássico do mundo animal é o lobo, que nos anos 1990 ressurgiu na maioria dos países da Europa Central e desde então tem feito parte da fauna. Antes disso, no entanto, já era encontrado na Itália, na França e na Polônia. Por isso, o lobo é nativo da Europa há bastante tempo, mas não de todos os países.

No entanto, será que essa unidade territorial não se estendeu demais? Quando dizemos que a toninha é uma espécie de golfinho nativa da Alemanha, isso não significa que ela também se sentiria em casa no Alto Reno, região no extremo leste da França. Por esse raciocínio, fica claro que essa definição não tem sentido. Portanto, para que determinada espécie seja considerada nativa é preciso levar em conta uma região muito menor e se orientar pela natureza, e não pelas fronteiras criadas pelo homem.

Esses espaços são caracterizados por sua configuração natural (água, tipo de solo, topografia) e pelo clima local. A espécie de árvore se estabelecerá onde as condições forem ideais para seu crescimento. Isso significa, por exemplo, que abetos surgem naturalmente na Floresta Bávara, a 1.200 metros de altitude, mas podem ser considerados não nativos a 800 metros de altitude e apenas 1 quilômetro de distância da floresta, pois nesse ponto o clima muda e a paisagem é dominada por faias e abetos. São organismos "autóctones", que se instalam naturalmente no ponto que consideram ideal. Diferentemente das nossas amplas fronteiras, as fronteiras das espécies lembram as de pequenos estados: qualquer pequena alteração produz grandes efeitos. Quando o homem interfere na paisagem e leva abetos e pinheiros para terras baixas e mais quentes, essas coníferas se tornam imigrantes na região. E com isso chegamos ao meu caso predileto: o da formiga-vermelha (*Formica rufa*), espécie considerada ícone da proteção à natureza.

Em muitos pontos da Europa sua população é mapeada, protegida e, em caso de necessidade, reassentada, em um processo custoso. E isso é necessário, pois se trata de uma espécie em extinção. Extinção? Sim, pois a formiga-vermelha também é uma imigrante. Ela usa as agulhas das coníferas para construir os formigueiros, motivo pelo qual se conclui que não habitavam as florestas ancestrais de árvores frondosas. Além disso, sua toca deve receber sol durante pelo menos algumas horas por dia, sobretudo na primavera e no outono, quando faz bastante frio à sombra e alguns raios de sol permitem que elas continuem trabalhando por mais algum tempo. Assim, como as florestas de faias são especialmente escuras no nível do solo, a formiga não ocuparia esse hábitat naturalmente, mas é grata aos engenheiros florestais que plantaram grandes extensões de abetos e pinheiros em áreas de árvores frondosas.

33. Ar saudável

O ar da floresta é sinônimo de saúde, ideal para quem deseja respirar ar puro ou praticar esportes em uma atmosfera limpa. E há um motivo para isso: as árvores agem como filtros de ar. As folhas e agulhas ficam expostas à corrente de ar e retêm partículas em suspensão (por ano, filtram até 7 mil toneladas por metro quadrado de folhagem).[53] Essa capacidade se deve à área ocupada pela copa: em comparação com um campo aberto de tamanho parecido, a árvore tem uma área de superfície até 100 vezes maior, sobretudo por causa da diferença de tamanho entre a grama e as árvores.

Nem toda substância filtrada é nociva, como a fuligem – as folhas também retêm o pó levantado do solo e o pólen. As partículas mais prejudiciais são as produzidas pelo homem: as copas acumulam ácidos, hidrocarbonetos tóxicos e compostos nitrogenados venenosos. No entanto, as árvores não só não filtram o ar como bombeiam substâncias nele, tanto para se comunicar quanto para se defender (os fitocidas).

As florestas diferem muito umas das outras em função das espécies de árvores que contêm. As de coníferas reduzem bastante a carga de germes no ar, o que é bom principalmente para alérgicos. No entanto, programas de reflorestamento introduzem abetos e pinheiros em regiões nas quais essas árvores não são nativas, e esses espécimes encontram problemas em seus novos hábitats. Em geral, são levados para regiões de menor altitude, secas e quentes demais para coníferas. O ar é mais empoeirado, como é possível comprovar durante o verão, olhando para o ambiente ao redor contra a luz do sol.

Nesses terrenos os abetos e pinheiros estão sempre ameaçados de morrer de sede, por isso se tornam presas fáceis dos besouros escolitídeos. Quando isso acontece as árvores começam a exalar substâncias odoríferas pelas copas – estão "gritando" por socorro e usando seu arsenal químico de defesa. Cada vez que respiramos na floresta inalamos tudo isso. Seríamos capazes, então, ao menos de forma inconsciente, de registrar o sinal de alerta? Afinal, florestas em perigo são ambientes instáveis e inadequados para o homem. Como nossos antepassados da Idade da Pedra estavam sempre em busca do abrigo ideal, teria sentido captarmos de forma intuitiva a situação do nosso entorno. E é exatamente isso que comprova uma pesquisa científica que concluiu que a pressão sanguínea sobe quando entramos em uma mata de coníferas e cai em matas de carvalho.[54]

Recentemente um periódico especializado publicou um artigo a respeito dos efeitos que a comunicação das árvores exercem sobre o homem.[55] Cientistas coreanos pesquisaram idosas que caminhavam pela floresta e pela cidade. O resultado: as que caminhavam pela floresta apresentaram melhora na pressão arterial, na capacidade pulmonar e na elasticidade das artérias, enquanto os passeios pela cidade não causaram alteração. Os fitocidas possivelmente também exercem uma influência benéfica em nosso sistema imunológico, pois matam os germes.

Acredito que as substâncias liberadas pelas árvores sejam um dos motivos pelos quais nos sentimos tão bem nas florestas – pelo menos nas florestas intactas. Os visitantes que passeiam numa das antigas reservas florestais de que cuido sempre relatam que sentem um alívio no coração e que parecem estar em casa. Se, em vez disso, caminhassem por florestas de coníferas, que na Europa Central em geral são plantadas (ou seja, criadas artificialmente), não teriam essas sensações, talvez porque em matas de faias e carvalhos haja menos "gritos de alerta". Essas espécies de frondosas trocam mensagens de bem-estar, que também captamos e chegam ao nosso cérebro. Tenho a convicção de que conseguimos avaliar instintivamente a saúde das florestas.

Ao contrário do que costumamos pensar, nem sempre o ar da floresta é rico em oxigênio. Esse gás fundamental provém da fotossíntese e é liberado pela decomposição do CO_2. Por dia de verão, cada quilômetro quadrado de árvores libera 10 toneladas de oxigênio. Em geral cada pessoa usa cerca de 1 quilo de ar por dia, portanto cada árvore produz o oxigênio necessário para 10 mil pessoas. Um passeio diurno por uma floresta é como um banho de oxigênio, mas essa fartura ocorre apenas durante o dia, quando as árvores produzem carboidratos não só para armazenar a substância na madeira mas também para saciar o próprio apetite.

Assim como o homem, a árvore transforma o açúcar em energia e CO_2. Durante o dia, isso não representa um problema para o ar, pois o excesso de oxigênio liberado mantém o equilíbrio entre os gases no ar. À noite, porém, a fotossíntese não é realizada, e o CO_2 não é decomposto. Portanto, a árvore queima o açúcar armazenado nas células e libera uma enorme quantidade de CO_2. No entanto esse aumento da taxa de CO_2 na atmosfera não representa um risco para quem queira passear pela floresta à noite, pois o vento mistura os gases, de modo que quase não se nota a diminuição do nível de oxigênio nas camadas próximas ao solo.

Afinal, como as árvores respiram? Uma parte dos "pulmões" é visível: são as agulhas e folhas. Na parte inferior desses órgãos há fendas minúsculas, que lembram bocas por onde elas liberam o oxigênio e absorvem o CO_2 – processo que se inverte à noite, quando a árvore não realiza fotossíntese.

O caminho da respiração é longo: começa nas folhas, passa pelo tronco e chega à raiz, motivo pelo qual a própria raiz também é capaz de respirar – do contrário, no inverno as árvores frondosas morreriam, pois desfolham no inverno. Nessa estação, como suas raízes continuam crescendo, a árvore deve usar a energia de suas reservas, motivo pelo qual precisa de oxigênio. No entanto, se o solo for tão compactado a ponto de bloquear os pequenos canais de passagem de ar, as raízes ficarão asfixiadas, e o espécime adoecerá.

Voltando a falar sobre a respiração noturna, as árvores não são os únicos seres vivos que lançam CO_2 na atmosfera: nas folhas, na madeira morta e em outras partes da árvore em processo de decomposição há criaturas, fungos e bactérias realizando um banquete ininterrupto, digerindo tudo o que podem e excretando húmus. No inverno, a situação piora: as árvores hibernam e deixam de renovar o oxigênio durante o dia, enquanto os micro--organismos continuam se alimentando de maneira tão frenética e gerando tanto calor que nem a geada mais intensa é capaz de congelar o solo a mais de 5 centímetros de profundidade. Isso significa que podemos morrer sufocados na floresta durante o inverno? Não, porque as correntes de ar sopram vento vindo do mar para o continente, e na água salgada vivem inúmeras algas que exalam oxigênio o ano todo. Elas compensam esse déficit a ponto de podermos respirar fundo até no meio de uma floresta de faias e abetos toda coberta de neve.

As árvores realmente precisam hibernar? O que aconteceria se nós, bem-intencionados, as iluminássemos à noite para produzirem mais açúcar? Com base nos conhecimentos atuais, isso não seria uma boa ideia. Assim como nós, as árvores precisam descansar, e privá-las do sono acarretaria consequências catastróficas. Em 1981, o periódico alemão *Das Gartenamt* publicou um artigo que concluía que a iluminação noturna era responsável pela morte de 4% dos carvalhos em uma cidade norte-americana. E quanto ao longo período de hibernação no inverno? Alguns entusiastas já realizaram esse teste involuntariamente, o qual relatei no Capítulo 22. Levaram carvalhos e faias jovens para casa e os mantiveram em um vaso ao lado da janela. Já que a temperatura na sala de estar não alcança a do inverno na rua, a maioria das árvores não parou de respirar e continuou crescendo. No entanto, a privação do sono acabou cobrando seu preço e, mesmo parecendo saudáveis, as árvores morreram.

Certos lugares nem sequer têm um inverno propriamente dito, e em locais de baixa altitude quase não ocorrem geadas. Ainda assim, as árvores frondosas perdem as folhas e só voltam a brotar na primavera, pois são capazes de medir a duração dos dias, como já mencionei no Capítulo 23. Você pode se perguntar, então, se as árvores ao lado da janela também poderiam ter se valido desse recurso. Possivelmente sim, se as pessoas desligassem a calefação e as lâmpadas, mas ninguém quer abrir mão de temperaturas agradáveis e da luz elétrica, que de certa forma proporcionam um verão artificial dentro de casa. No entanto, nenhuma árvore da Europa Central aguenta um verão eterno.

34. O verde da floresta

Por que é tão mais difícil entender as árvores do que os animais? Isso acontece por causa da história da evolução, que desde muito cedo nos separou dos vegetais. Nossos sentidos se desenvolveram de maneira diferente, e por isso precisamos usar a imaginação para ter uma vaga ideia do que acontece dentro das árvores. Nossa percepção das cores é um belo exemplo. Adoro a combinação idílica e relaxante do azul do céu com o verde intenso da copa das árvores. E quanto às árvores? Concordariam comigo? Provavelmente a resposta seria: "Mais ou menos."

Faias, abetos e outras espécies de árvores, sem dúvida, também gostam do céu azul, pois isso significa que estão recebendo muito sol. No entanto, para elas essa cor remete menos à tranquilidade e funciona mais como um sinal de que é hora de se alimentar. Para as árvores, céu limpo significa luminosidade intensa e, por isso, condições ideais para a fotossíntese. E que elas precisam começar a correr. Portanto, para as árvores, azul significa trabalho. Elas se saciam convertendo luz, água e CO_2 em suprimentos de açúcar, celulose e outros carboidratos.

Já o verde tem um significado totalmente distinto. No entanto, antes de falarmos da cor da maioria das plantas, precisamos nos fazer outra pergunta: por que o mundo é colorido? Deveríamos estar rodeados por um cenário puramente branco e homogêneo, pois a luz do sol é branca e, quando refletida, continua branca. No entanto, cada material capta a luz de uma maneira ou a converte em outras formas de radiação. Só enxergamos os comprimentos de onda que não são alterados ao atingir determinada superfície. Portanto, a cor dos seres vivos e objetos é determinada pela cor da luz refletida. No caso das folhas das árvores, essa cor é verde. Mas por que não é preta? Por que as folhas não absorvem toda a luz?

A clorofila ajuda as folhas a processar a luz. Se as árvores processassem toda a luz, não restaria quase nada, e a floresta teria um aspecto noturno também durante o dia. No entanto, a clorofila não processa o verde, ou seja, não consegue usar essa faixa de cor, por isso a reflete sem usá-la. Esse "ponto fraco" possibilita enxergarmos essa "sobra" da fotossíntese, e é por isso que quase todas as plantas parecem verdes. No fim das contas, o que enxergamos é a luz que a folha desperdiça, o excedente que a árvore não pode utilizar. Portanto, o que nós achamos lindo é o que a floresta considera inútil. Gostamos da natureza porque ela reflete o que não aproveita. Não sei se as árvores também se sentem dessa forma, mas uma coisa é certa: as faias e os abetos famintos ficam tão felizes com o céu azul quanto eu.

A lacuna da clorofila também é responsável por outro fenômeno: a sombra esverdeada. Se as faias só permitem que 3% da luz do sol chegue ao solo, ele deveria ser quase escuro mesmo durante o dia. Mas não é, como se pode comprovar num passeio pela floresta. Ainda assim, quase nenhuma planta cresce nesses pontos; isso acontece porque as sombras não têm todas a mesma cor. Enquanto muitos tons são filtrados já na copa (ela absorve quase todo o vermelho e o azul, por exemplo), o mesmo não acontece com a cor "desperdiçada", o verde. Como as árvores não precisam dela, parte do verde refletido alcança o solo. Dessa forma, na floresta predomina uma penumbra esverdeada que tem um efeito relaxante na mente humana.

Na nossa floresta existe uma faia que parece preferir o vermelho. Ela foi plantada por um de meus antecessores e com o tempo se tornou uma árvore de grande porte. Não gosto muito dela, pois me dá a impressão de que as folhas estão doentes. Árvores com folhas avermelhadas são comuns em muitos parques e trazem uma variação à monotonia do verde. Mas, na verdade, sinto pena delas, pois essa variação traz desvantagens.

A cor avermelhada é resultante de um distúrbio metabólico. Em árvores normais, as folhas que brotam costumam ser levemente avermelhadas graças à antocianina, uma espécie de filtro solar que bloqueia os raios ultravioleta e protege as folhas novas. Quando crescem, a substância é decomposta com a ajuda de uma enzima. No entanto, alguns bordos ou faias sofrem alteração genética e não contêm essa enzima, por isso não eliminam o pigmento vermelho e o mantêm também nas folhas adultas, assim irradiam a luz vermelha e desperdiçam parte considerável da energia luminosa.

Essas árvores ainda podem usar o espectro dos tons azuis para realizar a fotossíntese, mas, em comparação com suas parentes verdes, isso não é o suficiente. De vez em quando surgem árvores com folhas avermelhadas na natureza, mas elas crescem mais devagar do que o normal, não conseguem se impor e acabam morrendo. No entanto, o homem gosta do que é especial, por isso procura e propaga intencionalmente as variações vermelhas. Sofrimento de uns, felicidade de outros: assim poderíamos descrever essa manipulação que deveria ser evitada.

Voltando ao início do capítulo, o motivo principal de não compreendermos bem as árvores, porém, é o fato de serem extremamente lentas. Sua infância e sua juventude duram 10 vezes mais que as nossas e sua expectativa de vida é, no mínimo, cinco vezes maior. Seus movimentos ativos, como o desenvolvimento das folhas e o crescimento dos brotos, levam semanas ou até meses. A impressão é de que são seres estáticos, quase tão imóveis quanto pedras, e que o farfalhar das copas, o estalo dos galhos e troncos ao balançar – sons e movimentos que fazem a floresta parecer tão viva – são apenas oscilações passivas ou, na melhor das hipóteses, um inconveniente para as árvores. Não é de estranhar que muitos as vejam como nada além de objetos. No entanto, sob a casca, alguns processos acontecem com maior velocidade. Água e nutrientes – o "sangue da árvore" – fluem com a velocidade de até 1 centímetro por segundo das raízes até as folhas.[56]

Na floresta, até mesmo defensores da natureza e engenheiros florestais estão sujeitos a se enganar. Isso é normal, pois o homem é dependente da visão e se deixa influenciar especialmente por esse sentido. Assim, à primeira vista as florestas originais da Europa Central parecem tristes e monótonas. Com frequência, a diversidade da vida animal é revelada sobretudo ao microscópio, permanecendo oculta aos visitantes da floresta. Enxergamos apenas espécies maiores, como pássaros ou mamíferos, mas até eles são raros, pois os animais da floresta são silenciosos e arredios. Quando mostro a reserva de faias do nosso parque aos visitantes, eles me perguntam por que ouvem tão poucos pássaros. Por outro lado, as espécies de animais que vivem no campo aberto costumam ser mais barulhentas e se esforçam menos para se esconder de nós. Talvez você já tenha percebido esse comportamento nas aves que visitam seu quintal. Muitas se acostumam com as pessoas rapidamente e mantêm poucos metros de distância.

A maioria das borboletas da floresta é marrom ou acinzentada e, quando pousa no tronco, se camufla na casca. Já as espécies de campo aberto formam uma sinfonia de cores tão esplendorosa que é difícil não vê-las. Com as plantas a situação não é muito diferente. Em geral as espécies de florestas são pequenas e muito parecidas umas com as outras. Existem tantas centenas de espécies de musgo, todas pequenas, que já perdi a conta de sua enorme diversidade. Já as plantas que crescem em planícies abertas são muito mais atraentes, como a radiante dedaleira, com seus 2 metros de altura; a tasneira e seu amarelo vivo; o azul-celeste dos miosótis. Tanto esplendor alegra quem passeia pelo campo.

Portanto, quando o homem ou a própria natureza (com suas tempestades) abre clareiras no ecossistema da floresta, é comum ver os defensores da natureza empolgados. Eles ignoram o trauma sofrido pela floresta e acreditam que esses espaços abertos aumentam a diversidade de espécies na região. No entanto, apesar de a região passar a contar com mais algumas espécies adaptadas a áreas abertas, centenas de espécies de micro-organismos pelos quais ninguém se interessa morrem em consequência dessa mudança. Um estudo científico da Sociedade Ecológica da Alemanha, Áustria e Suíça concluiu que, com a intensificação da exploração econômica das florestas, a biodiversidade local cresce, mas não há motivo para comemoração. O sentimento deve ser de preocupação, pois isso indica uma alteração do ecossistema natural.[57]

35. Liberdade

Com as dramáticas mudanças ambientais que estamos testemunhando, cada vez mais precisamos encontrar áreas de natureza intacta. Alguns países têm criado leis de proteção ao que resta de suas florestas. Na Europa Central, região densamente povoada, a floresta é o último refúgio para quem deseja acalmar o espírito em um cenário natural inalterado. No entanto, hoje em dia já não existe nenhum espaço intocado. As florestas originais desapareceram há séculos, primeiro derrubadas a golpes de machado, depois pelos arados de nossos ancestrais, que ainda viviam assolados pela fome. Hoje até existem grandes áreas arborizadas perto de povoados e nos campos, mas elas são resultantes de plantações, e não florestas naturais – as árvores são todas de uma mesma espécie e têm a mesma idade.

Políticos têm discutido se essas plantações podem de fato ser chamadas de florestas. Entre os partidos alemães predomina o consenso de que 5% das florestas deveriam ser deixadas à própria sorte para se tornarem as florestas originais do futuro. À primeira vista, isso parece pouco e soa vergonhoso quando comparamos esse percentual com os dos países tropicais – que sempre ouvem reclamações dos países desenvolvidos por não protegerem suas florestas –, mas pelo menos já é um começo.

Mesmo que na Alemanha apenas 2% das florestas cresçam livremente, isso representaria mais de 2 mil quilômetros quadrados de área. Nesses territórios seria possível observar as forças da natureza atuando livremente. Ao contrário das áreas de proteção ambiental, que são bem cuidadas, nessas áreas de crescimento livre estimula-se a não intervenção humana, processo também conhecido cientificamente como recuperação natural. E, como a natureza não se importa com nossas expectativas, nem tudo se desenvolve como desejamos.

Em suma, quanto mais longe a área se encontra de seu equilíbrio natural, mais intenso será o processo de retorno à floresta original. Como um exemplo extremo, podemos pensar em um terreno sem plantas no qual cresce apenas um gramado que é aparado toda semana, como é o caso da área ao redor da cabana que ocupamos no meio da floresta. Sempre encontro brotos de carvalho, faias ou bétulas na grama. Se não as cortássemos regularmente, em cinco anos teríamos uma mata jovem com árvores de 2 metros de altura, e nosso pequeno posto desapareceria por trás da folhagem densa.

Nas florestas da Europa Central, as áreas com plantações de abetos e pinheiros têm chamado atenção no retorno à floresta original. E são precisamente essas florestas que fazem parte de parques nacionais recém-criados, pois nem sempre o local escolhido é o de maior valor ecológico (como é o caso das florestas de árvores frondosas). Para a futura floresta ancestral, não faz diferença começar seu desenvolvimento em um local de monocultura. Desde que o homem não intervenha, as primeiras alterações drásticas surgirão em poucos anos. Em geral, são os insetos que aparecem, como os pequenos besouros escolitídeos que proliferam pela região. Nessas regiões, as coníferas, plantadas enfileiradas e, com frequência, em regiões quentes e secas demais, não conseguem se defender das espécies agressoras e em poucas semanas sua casca está morta, devorada pelos besouros.

Os insetos se alastram pela antiga floresta comercial e deixam em seu rastro uma paisagem aparentemente morta, árida, dominada por esqueletos de árvores. Isso contraria os donos das serrarias locais, que poderiam ter lucrado com os troncos. Também argumenta-se que, com uma paisagem tão desoladora, o turismo é afetado. É compreensível que os turistas não estejam preparados para essa visão. Eles chegam com a expectativa de visitar uma floresta supostamente intacta, mas, em vez de encontrar uma paisagem verde saudável, deparam com uma série de colinas completamente tomadas por árvores mortas.

Desde 1995, somente no Parque Nacional da Floresta da Baviera morreram mais de 50 quilômetros quadrados de florestas de abetos, cerca de um quarto do território do parque.[58] Para muitos visitantes, a imagem dos troncos mortos é mais impactante do que a de um campo vazio. A maioria dos parques nacionais se rende às críticas e, no intuito de combater os besouros escolitídeos, vende as árvores derrubadas às serrarias, que as retiram da floresta.

No entanto, ao fazer isso cometem um erro grave, pois os abetos e pinheiros mortos auxiliam no nascimento da nova safra de árvores frondosas, já que armazenam água no tronco e reduzem a temperatura no verão a níveis suportáveis. Quando os troncos caem próximos, formam uma barreira natural que bloqueia o caminho de cervos e corças. Protegidos, carvalhos, tramazeiras e faias jovens crescem sem serem devorados. Quando as coníferas mortas entram em decomposição, formam o valioso húmus.

Atualmente ainda não existe uma floresta ancestral, pois as árvores jovens não têm pais. Ninguém pode controlar seu crescimento, protegê-las ou alimentá-las em caso de emergência. Dessa forma, os indivíduos da primeira geração natural no parque nacional crescem como crianças de rua.

Nesse primeiro momento, nem a composição da floresta é natural. Antes de desaparecerem, as antigas plantações de coníferas espalham sementes, de forma que entre faias e carvalhos também crescem píceas, pinheiros e douglásias. Quando isso acontece as autoridades começam a perder a paciência. Claro que, se as coníferas mortas fossem derrubadas, talvez a floresta original se desenvolvesse com mais rapidez, mas talvez as autoridades relaxassem um pouco se soubessem que a primeira geração de árvores crescerá rápido demais (portanto não viverá muito) e que só muito mais tarde a floresta apresentará uma estrutura social estável.

Os espécimes da antiga plantação desaparecerão, no máximo, em 100 anos, pois são maiores do que as árvores frondosas, mas acabarão sendo derrubados pelas tempestades. Essas primeiras lacunas no solo do parque nacional serão preenchidas pela segunda geração de árvores frondosas, que crescerá protegida sob a copa das árvores-mães. E, mesmo que estas últimas não vivam tanto tempo, os brotos só precisam que seu desenvolvimento inicial seja lento. Com isso, caso as frondosas fiquem idosas, a floresta original terá alcançado seu equilíbrio estável e, a partir de então, sofrerá poucas mudanças.

Esse processo demora 500 anos a partir do momento em que o parque nacional é criado. Se uma antiga floresta de frondosas tivesse sofrido uma exploração econômica apenas moderada e depois tivesse sido transformada em área protegida, bastariam 200 anos. No entanto, como as florestas escolhidas para preservação geralmente estão longe de seu estado natural, isso requer um pouco mais de tempo (pouco para uma árvore) e uma fase de transformação intensa nas primeiras décadas.

Com frequência há erros na avaliação da aparência das florestas naturais europeias. Em geral, os leigos acreditam que a paisagem fica tomada por arbustos e que a floresta é impenetrável. Na floresta hoje parcialmente transitável amanhã reinará o caos. Mas o fato é que as reservas que não sofrem intervenção humana há mais de 100 anos provam o contrário.

As florestas naturais são ideais para um passeio. As sombras escuras impedem o crescimento de ervas daninhas e arbustos, de modo que no chão das florestas naturais predomina a cor marrom (das folhas mortas). As árvores jovens crescem devagar e retas, com galhos laterais curtos e finos. A paisagem é dominada por árvores mais antigas, com troncos perfeitos que se estendem na direção do céu. O máximo que encontramos no solo é um ou outro tronco derrubado que serve como um banco natural, pois, como as árvores vivem bastante tempo, é raro que haja espécimes caídos. Mas quase nada acontece além disso.

Já as florestas cultivadas permitem que muito mais luz alcance o solo, pois suas árvores são retiradas a todo momento, o que permite o crescimento de grama e arbustos, impedindo que o visitante saia do caminho batido. As copas das árvores derrubadas criam obstáculos, formando uma paisagem inquietante e caótica.

Em uma floresta natural, poucas alterações são perceptíveis ao longo da vida de um ser humano. As áreas de preservação em que as florestas originais se desenvolvem a partir de florestas comerciais acalmam a natureza e oferecem experiências mais agradáveis a quem deseja descansar e relaxar.

E quanto à segurança? É perigoso andar perto de árvores antigas? E quanto a galhos e até árvores que caem em trilhas, casas ou carros estacionados? Bem, tudo isso pode acontecer, mas as florestas comerciais representam um perigo incomparavelmente maior. Mais de 90% dos danos causados por tempestades são sofridos por coníferas que crescem em plantações instáveis e caem com rajadas de vento de 100 quilômetros por hora. Não conheço um caso sequer de uma floresta antiga de árvores frondosas que tenha sofrido danos semelhantes durante uma tempestade. Assim, podemos concluir que é preciso deixar a vida selvagem seguir seu caminho.

36. Mais do que uma commodity

Pensando na relação histórica entre homens e animais, as últimas décadas do século XX mostram um quadro positivo. Fazendas de abate, experimentos realizados em animais e outras formas desrespeitosas de exploração – tudo isso ainda é uma realidade. No entanto, cada vez mais temos atribuído emoções aos animais, e, com isso, direitos. Além disso, cada vez mais pessoas estão deixando de comer carne ou praticando um consumo consciente, com o intuito de promover um tratamento mais adequado aos animais.

Esse avanço é bastante positivo, pois hoje se sabe que os animais têm sentimentos iguais aos do homem. Isso não se restringe aos mamíferos, espécies mais semelhantes a nós, mas também diz respeito a insetos, como a mosquinha-das-frutas. Pesquisadores na Califórnia descobriram que elas até sonham. No entanto, por mais que o inseto já seja bem diferente do homem, ainda existe um obstáculo quase intransponível que separa moscas e árvores. Estas não têm cérebro, movimentam-se bem devagar, têm interesses totalmente diferentes dos nossos e passam a vida em câmera lenta. O resultado é que qualquer criança sabe que as árvores são seres vivos, no entanto as tratam como coisas.

Quando queimamos a lenha no forno, estamos incinerando o cadáver de uma faia ou um carvalho. O papel usado na impressão deste livro é composto de pinheiros raspados e derrubados (ou seja, mortos) com essa finalidade. Parece exagero? Não acho, pois, levando-se em conta tudo o que aprendemos nos capítulos anteriores, podemos fazer paralelos perfeitos entre árvores e porcos, por exemplo. Não há como negar que abatemos seres vivos em nosso benefício.

Por outro lado, surge a pergunta: essa atitude é condenável? Afinal, também fazemos parte da natureza e nosso corpo só sobrevive com a ajuda de substâncias orgânicas de outras espécies. Todos os outros animais têm essa necessidade. A verdadeira questão é se consumimos apenas o necessário do ecossistema da floresta, evitando um sofrimento desnecessário.

Neste caso, a regra que idealmente vale para os animais também deveria valer para as árvores: é adequado usar a madeira desde que as árvores possam viver de maneira adequada à espécie (ou seja, cumprir suas necessidades sociais, como crescer em um verdadeiro ambiente de floresta natural, com solo intacto, e transmitir seu conhecimento às gerações seguintes). E pelo menos parte delas deveria ter a chance de envelhecer com dignidade e morrer naturalmente.

O manejo sustentável representa para a floresta o mesmo que a agricultura orgânica representa para a agricultura em geral: nas florestas em que ocorre, há uma mistura de árvores de todas as idades e medidas, de forma que as jovens cresçam sob a árvore-mães. Somente de vez em quando algumas são derrubadas, coletadas com todo o cuidado e retiradas com o uso de cavalos. E, para que as antigas também tenham seus direitos respeitados, entre 5% e 10% delas são totalmente protegidas. A madeira dessas florestas com manejo sustentável pode ser usada sem remorso. Contudo, infelizmente, 95% da prática atual na Europa Central é bem diferente: cada vez mais se trabalha com maquinário pesado no desmatamento para monoculturas.

Muitas vezes o público leigo compreende por instinto a necessidade de uma mudança na gestão florestal melhor do que os próprios engenheiros florestais. Cada vez mais a população tem se envolvido no gerenciamento das florestas públicas e tem insistido em que os órgãos competentes estabeleçam padrões ambientais mais elevados. Por exemplo, a associação Amigos da Floresta de Königsdorf, na região de Colônia, mediou com a administração florestal e o ministério responsável um acordo para que se abolissem o uso de máquinas pesadas e a derrubada de árvores frondosas em idade avançada.[59] Na Suíça, é o próprio Estado que se preocupa com a vida da vegetação local. A Constituição do país diz que "no trato com animais, plantas e outros organismos, deve-se levar em conta a dignidade da criatura". Por isso, no país é proibido cortar flores na beira de estradas sem que haja um motivo razoável. Embora isso venha causando reações negativas ao redor do mundo, aprovo a queda das barreiras morais entre animais e plantas. É inevitável mudar de postura quando conhecemos as características, sensações e necessidades da vegetação.

As florestas não devem ser vistas primeiro como fábricas de madeira e depósitos de matéria-prima e somente depois como hábitats complexos de milhares de espécies, como hoje prega a engenharia florestal. Muito pelo contrário, pois, sempre que se desenvolvem livremente, oferecem benefícios muito importantes estabelecidos por leis florestais que regulam a exploração da madeira: a proteção e a recuperação da área.

Além dos primeiros bons resultados, a discussão atual entre ambientalistas e usuários das florestas alimenta a esperança de que as árvores continuem vivendo sua vida secreta e de que nossos descendentes tenham a oportunidade de passear nas florestas e admirar a natureza. É exatamente isto que esse ecossistema representa: a plenitude da vida e a interdependência de dezenas de milhares de espécies.

Um breve relato vindo do Japão nos mostra a importância da interligação global das florestas com outros espaços naturais. Katsuhiko Matsunaga, cientista químico marinho da Universidade de Hokkaido, descobriu que as folhas que caem em rios e riachos liberam um ácido que chega ao mar. Esse ácido estimula o crescimento do plâncton, a base da cadeia alimentar. Isso significa que a floresta pode estimular o aumento do número de peixes? O pesquisador incentivou os pescadores a plantar árvores nas proximidades da costa e dos rios, e, de fato, houve um aumento da produção de pescados e ostras na região.[60]

No entanto, não devemos nos preocupar apenas com a utilidade material das árvores, mas cuidar delas também por seus pequenos mistérios e encantos. Todos os dias, sob seu teto de folhas, a floresta nos brinda com dramas e histórias de amor tocantes. Diante de nós está o último reduto da natureza onde ainda é possível viver aventuras e descobrir segredos. E, quem sabe, talvez um dia sejamos capazes de decifrar a língua das árvores e elas nos contem histórias incríveis. Até lá, quando fizer seu próximo passeio pela floresta, simplesmente dê asas à imaginação – em muitos casos, ela não estará tão distante da realidade.

Agradecimentos

Considero um presente poder escrever tanto sobre as árvores, pois todos os dias em que faço pesquisas, reflexões, observações e deduções sobre elas aprendo coisas novas. Quem me deu esse presente foi minha mulher, Miriam, que participou de muitas conversas em que pude expor meus pensamentos, leu o original e propôs incontáveis melhorias. Sem a ajuda do meu empregador, o município de Hümmel, eu jamais seria capaz de proteger a floresta antiga e maravilhosa que tanto me inspira e pela qual gosto tanto de lutar. Agradeço à editora alemã Ludwig Verlag por ter me proporcionado a possibilidade de compartilhar meus pensamentos com um público mais amplo e também a você, caro leitor, por ter explorado comigo alguns dos segredos das árvores. Apenas quem conhece as árvores é capaz de protegê-las.

Notas

A maioria das notas remete a publicações on-line em alemão.

1. MAFFEI, M. *MaxPlanck-Forschung* 3/2007, p. 64.
2. ANHÄUSER, M. Der stumme Schrei der Limabohne. In: *Max-Planck-Forschung* 3/2007, p. 64-65.
3. Idem.
4. http://www.deutschlandradiokultur.de/die-intelligenz-der--pflanzen.1067.de.html?dram:article_id=175633. Acessado em 13/12/2014.
5. https://gluckspilze.com/faq. Acessado em 14/10/2014.
6. http://www.deutschlandradiokultur.de/die-intelligenz-der-pflanzen.1067.de.html?dram:article_id=175633.
7. GAGLIANO, Monica, et al. Towards understanding plant bioacoustics. In: *Trends in plants science*, v. 954, p. 1-3.
8. https://www.uni-bayreuth.de/de/universitaet/presse/pressemitteilungen/2014/098-Bienen-Weiden/index.html. Neue Studie zu Honigbienen und Weidenkätzchen. Nota à imprensa nº 098/2014, Universidade de Bayreuth, 23/05/2014.
9. http://www.rp-online.de/nrw/staedte/duesseldorf/pappelsamen--reizenduesseldorf-aid-1.1134653. Acessado em 24/12/2014.
10. SIMARD, S. W. Vídeo. "Mother tree", em Jane Engelsiepen, "'Mother trees" use fungal communication systems to preserve forests". Ecology Global, Network, 08/10/2012, www.ecology.com/2012/10/08/trees-communicate. Acessado em 26/01/2016; e SIMARD, BEILER, BINGHAM, DESLIPPE, PHILLIP e TESTE F. P. "Mycorrhizal net-

works: mehanisms, ecology and modelling". *Fungal Biology Reviews* (2012), 26: 39-60.

11. *Lebenskünstler Baum*. Roteiro para série *Quarks & Co.*, Canal WDR, p. 13, maio/2004, Colônia.

12. http://www.ds.mpg.de/139253/05. Acessado em 09/12/2014.

13. http://www.news.uwa.edu.au/201401156399/research/move-over--elephants-mimosas-have-memories-too. Acessado em 08/10/2014.

14. http://www.zeit.de/2014/24/pflanzenkommunikation-bioakustik.

15. http://www.wsl.ch/medien/presse/pm_040924_DE. Acessado em 18/12/2014.

16. http://www.planet-wissen.de/natur_technik/pilze/gift_und_speise-pilze/wissensfrage_groesste_lebewesen.jsp. Acessado em 18/12/2014.

17. NEHLS, U. *Sugar Uptake and Channeling into Trehalose Metabolism in Poplar Ectomycorrhizae*, dissertação de 27/04/2011, Universidade de Tübingen.

18. http://www.scinexx.de/wissen-aktuell-7702-2008-01-23.html. Acessado em 13/10/2014.

19. http://www.wissenschaft.de/archiv/-/journal_content/56/12054/1212884/Pilz-t%C3%B6tet-Kleintiere-um-Baum--zu-bewirten. Acessado em 17/02/2015.

20. http://www.chemgapedia.de/vsengine/vlu/vsc/de/ch/8/bc/vlu/transport/wassertransp.vlu/Page/vsc/de/ch/8/bc/transport/wasser-transp3.vscml.html. Acessado em 09/12/2014.

21. STEPPE, K., et al. Low-decibel ultrasonic acoustic emissions are temperature-induced and probably have no biotic origin. In: *New Phytologist*, 2009, nº 183, p. 928-931.

22. http://www.br-online.de/kinder/fragen-verstehen/wissen/2005/01193. Acessado em 18/03/2015.

23. LINDO, Zoë; WHITELEY, Jonathan A. Old trees contribute bioavailable nitrogen through canopy bryophytes. In: *Plant and Soil*, maio/2011, p. 141-148.

24. WALENTOWSKI, Helge. Weltältester Baum in Schweden entdeckt. In: *LWF aktuell*, 65/2008, p. 56, Munique.

25. HOLLRICHER, Karin. Dumm wie Bohnenstroh? In: *Laborjournal*, 10/2005, p. 22-26.

26. http://www.spektrum.de/news/aufbruch-in-den-ozean/1025043. Acessado em 09/12/2014.

27. http://www.desertifikation.de/fakten_degradation.html. Acessado em 30/11/2014.

28. KRÄMER, Klara, defesa de tese, RWTH Aachen, 26/11/2014.

29. FICHTNER, A., et al. Effects of anthropogenic disturbances on soil microbial communities in oak forests persist for more than 100 years. In: *Soil Biology and Biochemistry*, v. 70, mar./2014, p. 79-87, Kiel.

30. MÜHLBAUER, Markus Johann. Klimageschichte. Seminário: Wetter und Klima WS 2012/13, p. 10, Universidade de Regensburg.

31. MIHATSCH, A. Neue Studie: Bäume sind die besten Kohlendioxidspeicher. In: Nota à imprensa nº 008/2014, Universidade de Leipzig, 16/01/2014.

32. ZIMMERMANN, L., et al. Wasserverbrauch von Wäldern. In: *LWF aktuell*, 66/2008, p. 16.

33. MAKARIEVA, A. M., GORSHKOV, V. G. Biotic pump of atmospheric moisture as driver of the hydrological cycle on land. *Hydrology and Earth System Sciences Discussions*. Copernicus Publications, 2007, 11 (2), p. 1.013-1.033.

34. ADAM, D. Chemical released by trees can help cool planet, scientists find. In: *The Guardian*, 31/10/2008, http://www.theguardian.com/environment/2008/oct/31/forests-climatechange. Acessado em 30/12/2014.

35. http://www.deutschlandfunk.de/pilze-heimliche-helfershelfer-des-borkenkaefers.676.de.html?dram:article_id=298258. Acessado em 27/12/2014.

36. MÖLLER, G. (2006). Großhöhlen als Zentren der Biodiversität, http://biotopholz.de/media/download_gallery/Grosshoehlen_-_Biodiversitaet.pdf. Acessado em 27/12/2014.

37. GOßNER, Martin, et al. Wie viele Arten leben auf der ältesten Tanne des Bayerischen Walds. In: *AFZ-Der Wald*, n. 4/2009, p. 164-165.

38. MÖLLER, G. (2006). Großhöhlen als Zentren der Biodiversität, http://biotopholz.de/media/download_gallery/Grosshoehlen_-_Biodiversitaet.pdf. Acessado em 27/12/2014.

39. http://www.totholz.ch. Acessado em 12/12/2014.

40. http://www.wetterauer-zeitung.de/Home/Stadt/Uebersicht/Artikel,-Der-Wind-traegt-am-Laubfall-keine-Schuld-_arid,64488_regid,3_puid,1_pageid,113.html

41. http://tecfaetu.unige.ch/perso/staf/notari/arbeitsbl_liestal/botanik/laubblatt_anatomie_i.pdf.

42. CLAESSENS, H. L'aulne glutineux (Alnus glutinosa): une essence forestière oubliée. In: *Silva Belgica 97*, 1990, p. 25-33.

43. LAUBE, J., et al. Chilling outweighs photoperiod in preventing precocious spring development. In: *Global Change Biology* 20 (1), p. 170-182.

44. http://www.nationalgeographic.de/aktuelles/woher-wissen-die--pflanzenwann-es-fruehling-wird. Acessado em 24/11/2014.

45. RICHTER, Christoph. Phytonzidforschung – ein Beitrag zur Ressourcenfrage. In: *Hercynia N. F.*, Leipzig 24, 1, 1987, p. 95-106.

46. CHERUBINI, P., et al. Tree-life history prior to death: two fungal root pathogens affect tree-ring growth differently. *J. Ecol.* 90, 2002, p. 839-850.

47. STÜTZEL, T., et al. Wurzeleinwuchs in Abwasserleitungen und Kanäle. Universidade Ruhr, Bochum, Gelsenkirchen, jul./2004, p. 31-35.

48. SOBCZYK, T. Der Eichenprozessionsspinner in Deutschland. BfN--Skripten 365, Bonn-Bad Godesberg, maio/2014.

49. EBELING, Sandra, et al. From a Traditional Medicinal Plant to a Rational Drug: Understanding the Clinically Proven Wound Healing Efficacy of Birch Bark Extract, In: *PLoS One* 9(1), 22 jan. 2014.

50. USDA Forest Service: http://www.fs.usda.gov/detail/fishlake/home/?cid=STELPRDB5393641. Acessado em 23/12/2014.

51. MEISTER, G. *Die Tanne*, S. 2, organizado pela Associação Alemã para a Proteção de Florestas (SDW), Bonn. http://www.sdw.de/cms/upload/pdf/Tanne_Faltblatt.pdf.

52. FINKELDEY, REINER e HATTEMER, Hans H. Genetische Variation in Wäldern – wo stehen wir?. In: *Forstarchiv*, 81, M. & H. Schaper GmbH, jul. 2010, p. 123-128.

53. HARMUTH, Frank, et. al. Der sächsische Wald im Dienst der Allgemeinheit. *Staatsbetrieb Sachsenforst*, 2003, p. 33.

54. VON HALLER, A. Lebenswichtig aber unerkannt. Langenburg: Verlag Boden und Gesundheit, 1980.

55. LEE, Jee-Yon e LEE, Duk-Chul. Cardiac and pulmonary benefits of forest walking versus city walking in elderly women: A randomised, controlled, open-label trial. In: *European Journal of Integrative Medicine 6* (2014), p. 5–11.

56. http://www.wilhelmshaven.de/botanischergarten/infoblaetter/wassertransport.pdf. Acessado em 21/11/2014.

57. BOCH, S., et al. "High plant species richness indicates management--related disturbances rather than the conservation status of forests". In: *Basic and Applied Ecology 14* (2013), p. 496-505.

58. http://www.br.de/themen/wissen/nationalpark-bayerischer--wald104.html. Acessado em 09/11/2014.

59. http://www.waldfreunde-koenigsdorf.de. Acessado em 07/12/2014.

60. ROBBINS, J. "Why trees matter". In: *The New York Times*, 11/04/2012, http://www.nytimes.com/2012/04/12/opinion/why-trees-matter.html?_r=1&. Acessado em 30/12/2014.

CONHEÇA OS LIVROS DE PETER WOHLLEBEN

A vida secreta das árvores

A vida secreta dos animais

A sabedoria secreta da natureza

Para saber mais sobre os títulos e autores da Editora Sextante,
visite o nosso site e siga as nossas redes sociais.
Além de informações sobre os próximos lançamentos,
você terá acesso a conteúdos exclusivos
e poderá participar de promoções e sorteios.

sextante.com.br